Dans la collection «Bo...

TRI-GRAPHIC

Table

Œuvres de Marie-Claire Blais

Romans

La Belle Bête, Institut littéraire du Québec, 1959
Tête blanche, Institut littéraire du Québec, 1960
Le jour est noir, Éditions du Jour, 1962
Une saison dans la vie d'Emmanuel, Éditions du Jour, 1965
L'Insoumise, Éditions du Jour, 1966
David Sterne, Éditions du Jour, 1967
Les Manuscrits de Pauline Archange, Éditions du Jour, 1968
Vivre! Vivre! (Tome II de *Les Manuscrits de Pauline Archange*),
    Éditions du Jour, 1969
Les Apparences (Tome III de *Les Manuscrits de Pauline
    Archange*), Éditions du Jour, 1970
Le Loup, Éditions du Jour, 1972
Un joualonais sa joualonie, Éditions du Jour, 1973
Une liaison parisienne, Stanké/Les Quinze, 1976
Les Nuits de l'Underground, Stanké, 1978
Le Sourd dans la ville, Stanké, 1979
Visions d'Anna, Stanké, 1982
Pierre — La Guerre du printemps 81, Primeur, 1984

Théâtre

L'Exécution, Éditions du Jour, 1968
Fièvre et autres textes dramatiques, Éditions du Jour, 1974
L'Océan suivi de *Murmures*, Les Quinze, 1977
La Nef des sorcières, Les Quinze, 1976

Récits

Les Voyageurs sacrés, HMH, 1969

Poésie

Pays voilés, Éditions de l'Homme, 1967
Existences, Éditions de l'Homme, 1967

LE LOUP

Marie-Claire Blais

LE LOUP

Boréal

Maquette de la couverture: Gianni Caccia
Illustration de la couverture: Hono Lulu

© Les Éditions du Boréal
Dépôt légal: 3e trimestre 1990
Bibliothèque nationale du Québec

Diffusion au Canada: Dimedia

Données de catalogage avant publication (Canada)

Blais, Marie-Claire, 1939-
Le loup
(Boréal compact; 20).
Éd. originale: Montréal, Jour, 1972.
ISBN 2-89052-373-X
I. Titre
PS8503.L33L37 1990   C843'.54   C90-096457-X
PS9503.L33L37 1990
PQ3919.2.B43L37 1990

à Philippe de Manès

Premier chapitre

Je veux parler dans ce récit de l'amour des garçons pour les hommes, des hommes pour les garçons, pourquoi ne pas dire plus simplement «de l'amour de mon prochain», car le monde des hommes qui aiment les hommes est le seul prochain que j'aie profondément connu ou du moins que j'espère mieux connaître pendant mon existence. C'est le prochain que j'ai choisi. J'ai longtemps rencontré, pendant cette recherche de la tendresse masculine, des êtres tourmentés qui ne pouvaient répondre à aucun amour même lorsque dans l'approche de la vieillesse, la lassitude de leur corps, ils venaient humblement se réchauffer en vous, leur cœur demeurait sourd à toute supplication: ces êtres souffraient trop pour se pencher vers la souffrance d'autrui. Âmes froides, ils en répondaient plus aux âmes de feu qui les sollicitaient; mais n'ont-ils pas permis, malgré tout, à une involontaire race de rédempteurs (à laquelle nous appartenons bien souvent sans le savoir) de servir quelqu'un ou de servir à quelqu'un, de réaliser enfin sur la terre un étrange rêve d'amour et de charité? Je songe parfois, en me tournant vers les aventures de ma vie, que je n'allais que vers des rédemptions qui m'inspiraient, choisissant, bien souvent, des êtres de basse qualité à cette fin, comme pour mieux exercer en eux un besoin de guérir et de consoler dont ils étaient les seuls, à leur insu, à pouvoir bénéficier. J'ai maintenant derrière moi, à l'âge de vingt-quatre ans, un lourd passé sensuel dont je voudrais pénétrer davantage le mystère et la complexité. À qui donc servirait ce passé, toutefois, pourquoi serais-je né doué pour cette sorte d'amour plutôt que pour une autre, si tous les êtres que j'ai aimés ne m'avaient offert, en les approchant, de vivre avec eux, sous une forme grossière ou élevée, peu importe, une unique expérience de compassion? Certes ces mots «compassion», «charité», «rédemption», irritent fortement mes amis qui sont parfois de vingt ans mes aînés et qui n'ont que mépris pour ce langage. Éric (musicien avec qui je vis depuis un an) ne me disait-il pas hier en posant sur moi un regard ironique: «Quelle prétention on a à votre âge de vouloir aider et sauver les êtres, c'est insupportable! J'étais comme vous, autrefois, avec les hommes plus âgés, je m'attachais aux plus sinistres et aux plus faibles d'entre eux pour leur donner quoi... une sorte de fraîcheur, peut-être? Mais c'est bien fini maintenant, j'ai perdu mes illusions!» Il est difficile d'exprimer dans quel état de désarroi me jettent parfois les paroles d'Éric: artiste sensible, pourtant, il oublie que je ne suis plus l'élève que j'étais pour lui autrefois, lorsque je l'ai connu, et il lui arrive d'étendre sur toute chose que je désire entreprendre, sur le plan artistique ou spirituel, une ombre de castration. Avec lui les mots «composition», «œuvre» et même le mot «musique» qu'il n'entend toujours qu'avec indignation, disparaissent de mon vocabulaire. Il est comme une ascèse, un chant de douleur qui entre de force dans la chair, et même dans l'intimité ses exigences sont si rigoureuses que pour peindre le plaisir qu'il prend ou qu'il donne, je l'appellerais non pas plaisir mais volupté sévère.

— C'est votre faute, dit-il encore, j'étais bien sans vous, je n'aimais personne, j'avais renoncé à toutes ces choses et je me préparais à mourir, et vous, vous arrivez soudain si fort que je laisse derrière moi confort et repos pour vous suivre. C'était de la folie car je n'aime pas les jeunes gens. Je suis moi-même, malgré mon âge, comme l'un d'entre eux qui cherche le compagnon aîné flétri et encore authentique dans son rayonnement paternel, alors près de vous, mon pauvre Sébastien, que pourrais-je bien vous donner, le seul pédéraste en moi est un pédagogue, j'adore vous apprendre à vivre, à sentir, je suis un bon professeur, je vous estime assez pour savoir être impitoyable avec vous, mais je ne vous aimerai sans doute jamais comme vous avez besoin de l'être, cette fièvre chevaleresque, je ne l'éprouverais que pour un aîné, et vous, vous pourriez être mon fils!

La sélection des êtres est une chose singulière: pourquoi avoir choisi Éric, pourquoi l'avoir préféré à d'autres, lui qui est rarement aimable, d'une instabilité presque maladive, si bien que d'un excès de tendresse il passe facilement à un jugement hautain de ceux qu'il aime, m'attaquant un jour avec la férocité d'un loup, implorant le lendemain mon indulgence avec une humilité de petit enfant, oui, lui qui venait vers moi tout en me repoussant: «Laissez-moi, que venez-vous faire dans ma vie?» me suppliait-il; pourquoi, malgré tout, l'avoir aimé dès cet instant? Sans doute parce qu'il y avait en lui ce que j'avais déjà aimé chez d'autres et pour lequel je rêvais de brûler: la peur animale de ceux qui attendent la mort, ou bien la peur, tout simplement. Cette lumière d'agonie éveillait tout de suite en moi la pitié et cette pitié ne pouvait être que celle des sens, du moins tout le travail de rédemption des êtres les uns pour les autres, tel que je l'imaginais à mesure que je vivais, commençait par cette pitié nue où les corps soudain rivés à la terre ne mentaient plus. Peut-être parce que j'avais eu froid moi-même, je faisais ce rêve (sachant pourtant que ce n'était qu'un rêve) d'incendier du feu de mes sens ces corps transis de froid que je rencontrais. C'est ainsi que je commençai à aimer Éric.

Enfant, j'avais fait des songes qui m'apparaissent maintenant comme des signes, des promesses de l'amour que je choisirais. Dans l'un d'eux, je parcourais un champ ensoleillé, c'était le printemps et une tiédeur enivrante montait de la terre, je marchais en regardant le ciel quand je heurtais soudain de mes pieds le corps d'un homme endormi. Une grande misère se lisait sur le front de cet homme comme si on l'avait longtemps persécuté et qu'il n'eût trouvé de refuge que dans les champs. Je le couvris de mon manteau car le froid se dégageait de lui comme d'un corps pétrifié, mais se réveillant en sursaut l'homme m'écartait en disant:

— Ne me touchez pas, il y a des bêtes dont nulle main n'a caressé le pelage...

Je restai près de lui, et la lumière du soleil qui tombait sur son corps le réchauffait peu à peu. Dans un autre rêve, je découvrais au fond d'une forêt, près d'une rivière magnifique, un cloître où vivait un petit groupe de religieux dans une harmonieuse sérénité, ces êtres ne mangeaient plus, ne dormaient plus, m'apprit-on, ils ne vivaient plus que du rayonnement de la tendresse qu'ils avaient acquise en souffrant pour d'autres hommes; quand je voulais savoir qui ils étaient, quelqu'un parmi eux vint me dire à l'oreille: «Près de nous, il n'y a que des âmes porteuses de toutes les connaissances...»

Ces images de la vie nocturne m'aident à comprendre qu'il y a longtemps que j'attendais Éric, je ne dois pas dire pour l'apaiser, ce serait faux, il n'est pas de ceux qu'on apaise (et dans ce désir de commisération n'y a-t-il pas, bien souvent, le même désir pour soi-même?) mais peut-être pour le réconforter d'une chaleur physique qu'il irait répandre ailleurs, vers d'autres êtres. Éric n'avait autrefois connu cette douceur que dans l'humiliation, tournant toujours la pureté de son regard vers ceux qui ne pouvaient lui parler, allant les recueillir dans un monde implacable pour cette sorte d'amour. Mais en vieillissant, lui qui avait été pendant sa jeunesse l'agneau qui s'offre en

pâture à la voracité des juges et qui, lorsqu'on avait
enfin consenti à lui donner un peu d'affection après
de longues demandes, avait été, dans les bras glacés
qui le prenaient, une nourriture pour l'appétit des
morts (car si moi j'allais vers les êtres gelés, lui descendait dans ces âmes de bonne volonté qui sont souvent des âmes mortes), lui qui avait été victime
comme l'agneau, devenait, avec le temps et l'amertume, un aspect de ces loups qu'il avait aimés et
redoutés à la fois. Quand il était cruel envers moi et
qu'il me provoquait aveuglément, je sentais qu'il était
encore captif de la malédiction qui avait longtemps
pesé sur lui, dans ses relations amoureuses, et pour
cette raison, il était plus facile pour moi de lui par-
donner. Mais ce pardon, cette ardeur pour la paix et
la réconciliation que j'avais d'abord éprouvée avec
lui, au début de notre liaison, diminuaient comme mes
forces lorsque cet amant, qui pouvait être si doux, se
transformait en un être brutal et injuste. La bonté sensuelle qu'il y avait entre nous se dissipait alors, peu
à peu.

— Vous m'avez choisi pour mieux souffrir, me
disait-il, il faut me garder maintenant. Mais vous le
savez, je ne vous protégerai jamais, je ne serai que
votre frère, un semblable plus fragile que vous. Je me
demande vraiment comment vous pouvez m'aimer, je
ne le comprends pas et ne le comprendrai sans doute
jamais.

Mais était-ce vrai que je ne l'avais choisi que
pour souffrir? La joie me soulevait encore lorsque je
voyais son visage aux traits lumineux, tout son être,

14

pour moi qui l'avais connu si malheureux, irradiait de ce bonheur dont il était à la recherche mais qui était placé en lui comme une apparence, c'était là peut-être une opposition qui m'avait tant ému dans son caractère, cet esprit torturé offrait un visage sans angoisse, un sourire d'une générosité infinie; quant à son corps, il était exubérant, solide, inlassable dans le plaisir et me rappelait quelque statue d'un sage musclé et imparfait dont on eût sculpté la forme selon diverses inspirations, dessinant sous la figure ferme et séraphique un cou trop puissant, le doigt du sculpteur glissant de la rondeur des épaules à une taille frêle, puis étonnant l'œil soudain par des jambes sportives, d'épaisses chevilles liées à des pieds qui n'étaient pas sans finesse.

Je n'avais qu'à le prendre entre mes bras pour vouloir effacer en lui les offenses qu'il avait subies, et il me semblait que l'amour et le sang de toute une vie n'y parviendraient pas. Ce n'est que pendant ces instants qu'un peu d'humilité me traversait et que je croyais donner à Éric le souffle de mon existence (ce qui n'était pas une pensée sans orgueil), du moins, me disais-je, commencer à le faire en me dépouillant des quelques biens matériels que je possédais, ce qui, peut-être, sans le combler entièrement, le soulagerait de ses mortifications anciennes. Éric accueillait ces élans avec une bienveillance soucieuse: «Allons, me disait-il, il ne faut pas trop gâter les êtres, vous devriez savoir cela, c'est dangereux, on les perd ainsi! Plus on les adore, plus ils sont tristes. Il ne faut pas qu'ils sachent combien on les aime.» Mais pour moi qui avais connu la pauvreté, l'argent avait un attrait euphorique, je me voyais prodiguer à Éric un bien-être que je n'avais pas eu (car la musique qu'il écrivait, par sa beauté concentrée, presque liturgique, n'attirait l'attention que de quelques critiques subtils et je gagnais souvent mieux ma vie comme concertiste que lui comme compositeur) et ce secours représentait pour moi une expression plus intime de ma tendresse pour lui. Lorsque je voyageais avec lui pour une série de concerts, j'avais le sentiment, quand il acceptait simplement de moi un objet (un vêtement dont l'éclatante blancheur de la laine s'unissait, dans mon esprit, à la luminosité qui émanait de lui), de couvrir en lui tout ce qui était démuni, de refermer en lui cette fissure où le découragement pouvait si facilement se loger. Je me jugeais bien fruste et sans nuances quand j'observais ce corps doué d'une sensibilité musicale, laquelle rendait presque fou son propriétaire : assourdi par le bruit des villes, Éric se promenait dans les rues comme un animal en cage, jamais je ne l'avais vu aussi épuisé et maussade, instrument tendu qui se brise au moindre choc : «Vous ne pouvez pas comprendre, me disait-il, c'est une maladie, j'ai l'impression, quand j'entends certains sons, d'avoir le crâne broyé, les nerfs tordus.» Et là où mes yeux absorbaient avidement les couleurs les plus crues, les yeux d'Éric, démesurément attentifs à la discrétion des teintes, ne fixaient certains bleus qu'avec vertige comme si tel bleu qui fût entre le noir, l'encre et le brun ardent l'eût immédiatement plongé dans un monde de résonances cauchemardesques appartenant à un lointain passé. Toutefois, dès que nous partions pour la campagne, Éric n'était plus le même, ses sens plus curieux et plus armés s'exaltaient à toutes les mélodies de la nature, et épanoui par les sons et les odeurs qu'il aimait, cet homme recouvrait une vigueur primitive. Je me souviens de la fin d'un jour où il m'avait accablé d'injures, nous accusant, nous jeunes musiciens, de nous lancer vers l'interprétation des grandes œuvres «avec présomption et impudence», j'étais encore tout troublé lorsque nous marchions vers notre chambre, mais lui avait oublié en un instant tout ce qu'il venait de dire car il avait aperçu, en ouvrant la fenêtre, un jardin ravissant dans la cour de notre hôtel et il s'écriait comme un enfant:

— Viens, mon petit Sébastien, c'est si beau ici, l'air est si pur, viens m'embrasser...

Même si je savais que ces paroles étaient le prélude des nuits les plus voluptueuses entre Éric et moi, une grande mélancolie me saisissait lorsqu'il me serrait contre son cœur, je n'ignorais plus, désormais, que dès le lendemain, par inquiétude ou nervosité, Éric serait à nouveau emporté et outrageant. J'avais l'habitude de ce comportement, et Éric lui-même, lorsqu'il était d'humeur plus calme, me disait en souriant:

— Pauvre moi, je vous apprendrai la sainteté, n'est-ce-pas?

Mais ce qui me paraissait tout de même ardu, près de lui, c'était cette prompte absence de foi en l'autre, cette perte d'une confiance déjà établie entre deux êtres depuis longtemps. Je le trouvais soudain aussi transpercé par le froid, aussi esseulé que lorsque je l'avais connu, comme si la profondeur de mes sentiments pour lui ne l'avait jamais touché. Il n'était plus l'amant aux étreintes passionnées mais le gisant au bord de la route. Sa peur, alors, me pénétrait, et je n'avais plus le souvenir de son amour. Je dois avouer que j'étais maladroit, que je le devenais même chaque jour davantage. Si je l'avais embrassé toute la nuit, je me levais le matin plus épris que la veille et je lui manifestais une sollicitude qui l'agaçait, l'appelant «mon petit» dans une irrépressible poussée paternelle qu'il détestait:

— Je vous ai dit de ne pas m'appeler ainsi, répondait-il, je vous assure qu'il y a en vous la mansuétude d'un père qui a eu douze enfants, c'est bien gentil mais c'est trop envahissant, faites attention!

Et il est vrai que dans ma famille où nous étions nombreux, nous avions appris à être les uns pour les autres, dans la vie quotidiennement, non seulement des fils mais des pères (ce dernier rôle semblait même nous convenir davantage): pour survivre, ne devions-nous pas tous nous aider, oubliant, quand nous étions trop jeunes, un âge humain (l'âge des tout-petits, l'ère de la complaisance) qui entravait nos pas vers une liberté fraternelle plus grande? Dans ce foyer où la flamme était toujours vive, même lorsque nos parents nous punissaient, nous sentions que nous avions pour eux une existence particulière, une identité, dans ce foyer où toutes les différences étaient malgré tout tolérées, j'avais eu mes premières expériences de pitié. Mais jusqu'à quel point mon passé intéressait-il Éric? Quand je lui en parlais, il m'écoutait d'abord avec patience, d'un air pénétrant, puis il s'égarait dans les sillons d'un monde mental, parcourant ces petites routes nocturnes qui lui étaient seules familières, m'écartant de ses pensées sans le savoir. S'il se demandait pourquoi je l'avais choisi lui qui n'avait rien à me donner, disait-il, je me posais à moi-même cette question: quand donc lui serais-je utile et pourquoi? Nous avions l'un envers l'autre, me disais-je, une dette mystérieuse, mais laquelle? Il était bon pour moi et en même temps il me laissait des jours entiers la proie d'une sèche violence qu'il ne dominait pas, dans ses états d'effondrement. Je pensais chaque jour avec lui: «Non, c'est fini, cette fois, je ne lui pardonnerai jamais plus.» Mais devant sa modestie et l'innocence de son regard, j'éprouvais pour lui-même comme pour sa faiblesse un extrême attachement, et pourtant, ces mots «extrême attachement» ne signifient rien pour décrire un amour à la fois déçu et combattant.

Les peines les plus cuisantes s'éloignaient ainsi pendant quelques heures; je marchais fièrement au bras d'Éric en pensant: «Il est difficile, mais je ne le quitterai pas.» Je le regardais encore avec un étonnement plein de gratitude, comme les jeunes filles regardent leur fiancé ou leur amant, j'étais un homme jeune et lui un homme vieillissant et entre nous il y avait un lien de pitié impénétrable; en songeant à la ferveur de ce lien, j'éprouvais pour Éric comme pour mon destin, le même sentiment de reconnaissance surprise. Son corps avait, dans sa joie de vivre, tant de façons de m'émouvoir, de m'étonner quand la beauté de plusieurs garçons m'avait laissé indifférent, ne réveillant jamais en moi des désirs aussi absolus. C'est donc, pensais-je, qu'il y avait, entre lui et moi, une invisible alliance de rachat. Ces pensées, ces préoccupations morales, si l'on veut, je les éprouvais dans toute mon activité physique auprès d'Éric et même lorsqu'il me répudiait de ses bras en disant: «Laissez-moi travailler, vous êtes bien comme les autres, une petite bête sensuelle et gourmande!» je sentais qu'il accordait à mes sentiments pour lui (et à ses sentiments pour moi) une signification symbolique, mais jamais il ne l'eût avoué car il était trop dépourvu de vanité pour penser de lui-même: «Je suis quelqu'un pour un autre», préférant me répéter, au contraire:

— Je ne suis rien du tout, personne, vous comprendrez un jour quel néant vous aimez! C'est un idéal de moi-même que vous aimez, vous serez bien malheureux!

— C'est vrai, il m'arrive de penser que j'aime un monstre, mais ce n'est pas que cela.

— Je suis donc monstrueux pour vous? Vous voyez, je me connais bien mal, je n'aime pas vous blesser mais votre affection me tente de le faire. Je vous ai déjà dit que cette situation serait périlleuse pour vous. Mais vous ne me croyez pas...

Éric travaillait beaucoup et sortait peu. Lorsqu'il consentait à dîner dehors avec moi, il lui arrivait de me suivre dans les bars où nous achevions la nuit, mais ne consommant rien ou très peu, il s'ennuyait vite et sa prudente curiosité ne tardait pas à être satisfaite. La mienne me faisait sombrer dans une interminable rêverie sur l'existence d'autrui, et même si je savais que cet intérêt incandescent pour des inconnus, dans un bar ou ailleurs, irritait Éric, je ne pouvais résister à ces atmosphères capiteuses où, la nuit venue, des hommes se réunissaient pour des cérémonies de plaisir, chacun portant en soi un désir pour un autre dont il n'imaginait pas encore le visage mais qu'il avait la certitude de trouver dans cette confrérie où la luxure, sous un aspect de franche crudité, offrait autant de variétés qu'il y avait de garçons dans ces salles enfumées. «J'ai horreur de l'amour vénal», disait Éric pendant que je regardais descendre vers leurs lieux de rendez-vous, comme dans les profondeurs de la mer, ces sombres bêtes à la recherche de leurs proies, les unes, très dignes dans leur grâce effeminée, les autres austères comme des prêtres, et d'autres qui n'avaient aucun caractère particulier sinon de ressembler à des hommes d'affaires accablés, mais ce qui me semblait miraculeux dans cette communion des jouissances si diverse et colorée, c'était ce lien de charité, me disais-je, de rudimentaire solidarité qui émanait de tous ces corps avides de compagnie, de caresses. Un jeune prostitué, dardant dans l'ombre des prunelles de feu pour un homme dont je ne voyais que le dos, la nuque un peu lourde, avait dans ce moment de langueur où je le surprenais une sorte de bonté mystique, lui, le convoité, et celui qui convoitait répandait sans le savoir la limpidité des âmes les plus pures: «Mais quel enfant vous êtes, me disait Éric que mes réflexions ennuyaient, vous voyez de la sainteté partout, c'est une maladie chez vous, ce garçon que vous contemplez comme une apparition, il n'a pas vingt ans et il est déjà pourri, rien ne fait plus mal à la beauté et ses sens. Je le plains, c'est une pauvre créature assassinée!»

— Vous ne le savez pas, il a peut-être un rôle lui aussi...

— Parce que vous croyez que chacun de nous a un rôle en ce monde?

Il était vain de vouloir expliquer à Éric que cette conviction avait dirigé toute ma vie, toutes mes passions pour des êtres qui, en apparence, ne semblaient pas mériter ce sentiment (ce que l'on ne sait jamais, toutefois) et que je croyais au «rôle» du jeune prostitué plus qu'en un autre, la voix d'Éric disait encore à mon oreille: «Quelle corruption, quelle perte, tant de perles jetées aux pourceaux!» quand je répondais intérieurement: «Il faut jeter des perles aux pourceaux, on ne sait jamais à qui cela peut servir!» Et comme le garçon se levait maintenant pour suivre son compagnon dans la rue, frôlant de sa hanche la table où nous étions assis, Éric et moi, une impulsion me saisit de le suivre («Vous ne voyez donc pas, me disait Éric qui avait lu mes pensées, que tous les désirs ont déjà souillé cette chair, que c'est un corps déjà usé, vendu à tous?») car au moment où je l'avais vu s'approcher de nous avec son sourire éclatant, son insolence moqueuse, j'avais deviné en lui, ou reconnu plutôt les traces secrètes qui le marquaient, comme si tous les hommes à qui il s'était donné, par plaisir, par vanité, ou par servilité, car ces trois besoins étaient en lui, avaient laissé sur lui un peu de leur visage et de leur corps. En ce sens, cet être attirait ma pitié car il ne s'appartenait plus, il était crucifié par la convoitise des autres et on se demandait en observant toutes les créatures indigentes qui se débattaient en lui, laquelle finirait par le dévorer.

— Allez, suivez-le puisqu'il vous intéresse tant; ce que l'on peut apporter à des êtres pareils, si exilés, au fond, c'est une tendresse toute naïve capable de les rafraîchir. Pourquoi ne le suivez-vous pas dans son taudis et ne le bercez-vous pas comme un petit garçon?

Mais à l'image de l'enfant souffreteux dont parlait Éric une autre venait se superposer: celle du garçon toujours souriant, bohème, posant sur nous son regard enflammé et qui, en franchissant la porte, avait enfoncé sur sa tête aux cheveux en désordre un chapeau violet dont l'élégance était presque féminine... C'est ainsi que je l'avais vu disparaître dans la nuit, son vieux compagnon trottant devant lui, et lui emportant fièrement dans son beau corps de jeune esclave les secrets, les mystères d'une multitude d'êtres qu'il avait, sans le savoir peut-être, consolés...

Quand j'étais avec Éric dans un bar, une douce familiarité glissait soudain entre nous: cette bouche que j'aimais et qui avait l'art de prononcer des paroles inexorables au moment où je m'y attendais le moins, se détendait en un sourire plus tendre et plus conciliant, tout son être semblait se confier en moi (ou à cette autorité de l'amour à laquelle il était sensible) pendant ces heures, brèves mais tranquilles. Si je lui parlais des garçons que j'avais aimés autrefois, lui qui éprouvait d'habitude une aversion intense pour son passé comme pour le passé des autres, il m'écoutait alors avec toute la patience fragile mais que j'appréciais:

— Qui est ce Bernard dont vous me parlez depuis dix minutes, me demandait-il soudain, quelle obsession de toujours revenir vers le passé, qui est ce garçon?

— Un collégien que j'ai rencontré dans un de ces pensionnats de campagne où les parents modestes envoient leurs enfants. C'était dans un lieu désolé, toujours gris et triste en hiver. Mais il y avait de belles rivières où nous allions lui et moi la nuit.

Mais comment raconter à Éric, lui si vite crispé par mon ardeur apostolique, que c'est près de Bernard que j'avais commencé à réfléchir au rôle, à ce que Bernard appelait pour lui-même «le mauvais rôle», une mission qui était à l'opposé de la mienne, disait-il, une intention de détruire et de piétiner (mais était-ce vrai?) «tout ce qui sourit avec arrogance sur la terre», et dont il était jaloux. Aujourd'hui, je me

demande s'il y avait dans notre idéal autant de dis-
cordance que Bernard disait avoir choisi (et je me
souviens que tous ses songes sanglants finissaient par
sa propre mort), il eût fallu voir les paysages parmi
lesquels il avait grandi: devant la lumière terne qui
écrasait les champs, là-bas, l'éternel orage de ces
jours ni chauds ni froids mais perpétuellement
moroses et humides, s'ajoutant à cela la médiocrité
des élèves et la banalité de nos maîtres, il semblait
presque naturel de se nourrir d'hallucinations comme
le faisait Bernard, dans son ennui.

Il disait que son rôle à lui était de porter des
poisons, de s'abreuver «aux saletés de la terre» et de
cela il était convaincu. «Tu comprends, disait-il, il y
a des gens comme ça, ils prennent tout ce qu'il y a
de vices dans l'air et ils l'absorbent, ensuite ils conta-
minent les autres, et ils meurent. C'est moi. Je n'ai
pas d'enfance, pas d'âge, et on dirait que celui qui a
faim et soif sous ma peau, c'est un cadavre...»

Il se réconfortait à la pensée qu'il n'aimait personne: «Toi, je ne t'aime pas, tu partages mon lit,
c'est tout», me disait-il en arpentant les champs pendant que son bras de paysan me serrait le cou à
m'étouffer (car il était de quelques années mon aîné
et un géant pour son âge). «Des garçons comme toi,
je peux en avoir à la douzaine, tu es le plus idiot et
le plus fidèle, tu colles à moi comme un chien, ça
me donne le vertige, si j'abusais de toi, jusqu'où irais-
tu? Ce n'est pas dans ma nature de faire attention aux
autres, tu le sais. Pour moi, un être humain, ce n'est
rien, ça ne m'émeut pas, c'est drôle. Un jour, pen-

dant les vacances, j'étais avec ma mère dans un train: il y avait une petite femme coquette, toute gonflée de satisfaction, tu sais, comme il y en a tant, assise en face de nous, elle tenait son sac sur ses genoux et de ses doigts potelés, satisfaits, elle en caressait le cuir, je la regardais et jamais je n'avais éprouvé autant de haine pour une personne. Je l'aurais tuée sans hésitation. Une bête de boucherie a plus de noblesse que cela. Les chevaux et les rivières, c'est tout ce que j'aime au monde. C'est pas parce que je couche avec toi que j'ai de l'amitié pour toi, tu sais, c'est pas mon genre. Si tu me trahissais aux professeurs, je te fracasserais la mâchoire comme j'ai fait une fois, à un petit, dans une autre école. Plus les gens sont petits, plus je suis dégoûté. Les tout petits enfants, par exemple, c'est comme de la larve, des chenilles qu'on devrait anéantir.

Mais celui qui parlait ainsi et qui, soudain débordant de santé et de véhémence (et tremblant de ce désir de choquer, de vous arracher à votre confort), clouait son compagnon à un arbre, l'emprisonnait dans ses bras en disant: «Je te viole, que tu le veuilles ou non!» Et demandait un peu plus bas: «Tu veux bien, mon petit idiot?» C'était le même grand corps terrien qui, lorsqu'il était épuisé par sa propre vigueur, se roulait de désespoir dans les herbes, pleurait et criait comme le vieil enfant à nourrir qu'il était, première ébauche d'Éric, premier abandon d'un loup recélant en lui la faiblesse de l'agneau qu'on égorge. C'était lui, désarmé et adouci entre les bras d'un enfant (à qui il avait inspiré la peur, toute la peur qui le possédait lui-même, jeté parmi les caresses les plus humbles son héritage de bestialité, sa soif de sang et de carnage contre laquelle il avait peu de pouvoir, car il le disait lui-même quand il voyait un jeune garçon vulnérable, cette chair nue et mince lui rappelait l'écorce des arbres, une transparence qu'il aimait et qu'il voulait déchirer «comme lorsqu'on égratigne les arbres avec un couteau») et dans sa maladresse éprise, il arrivait à vous faire mal, je ne me séparais pas de lui sans la meurtrissure de ses ongles sur mon dos, involontairement brutal, il faisait pleurer les garçons et s'étonnait d'être la cause de ces larmes, mais c'était lui, surtout, qui fléchissait, qui frissonnait de froid dans les plis de la terre. On l'appelait «la grande brute» et c'était vrai, et en même temps, je ne connaissais personne de plus désemparé que lui. J'avais été témoin de sa fragilité, non seulement lorsqu'il dormait contre moi, repu, exprimant, dans le désarroi de ses traits que le sommeil dévoilait, une lassitude si grande de tous les plaisirs que je le croyais lorsqu'il me disait qu'il était sans âge, sans aube, tant l'expression de son visage me le prouvait maintenant, mais aussi à chacune de ses tentatives de suicide, lorsqu'il me faisait appeler à l'infirmerie, me recevant avec une froideur feinte dans ce royaume des morts où il allait d'une initiation à l'autre (ce jour-là il avait failli se noyer dans la rivière où il m'obligeait à me baigner par les jours les plus froids de novembre), où, vêtu d'une robe de chambre blanche qu'on lui avait prêtée, allongé sur son lit et encore affaibli, il me disait encore pour me provoquer:

— Je voulais savoir si tu viendrais cette fois! Mais mon petit idiot est toujours là, je vais faire de toi une bête et je vais te dompter. Tu feras tout ce que je voudrai. Veux-tu t'anéantir pour moi puisque tu dis que tu m'aimes?

— Je ne veux plus que tu retournes à la rivière.

— Nous irons dès demain, pendant l'étude. L'eau glacée te fera du bien. La vraie virilité c'est de pousser un garçon comme toi à des folies pour un homme comme moi qui ne mérite rien. C'est une expérience de sainteté, tu verras.

— Si tu continues, tu seras chassé du collège.

— Tant pis, tu me suivrais ailleurs. Je sais que tu me suivrais partout. Mais pour mourir je serai seul comme du gibier qu'on abat.

— Pourquoi veux-tu tellement mourir?

— Je suis curieux, tu ne peux pas savoir... Le frisson de l'agonie, je l'ai senti plusieurs fois, c'est mieux que le frisson de l'amour, tu sais... Mais ne t'imagine pas que je t'aime. Je ne t'aime pas. Pas plus qu'un animal.

C'est pendant ces instants où le fil qui liait Bernard à la vie me paraissait si ténu que je m'attachais à lui pour toujours, dans le sommeil (comme dans sa robe de chambre dont il s'enveloppait comme d'un linceul), il avait le visage et le corps qu'il disait porter au-dedans, cet ancien cadavre dont il me parlait tant et qu'il trahissait pendant de rares instants, au-dehors. Mais à peine recouvrait-il la santé qu'il redevenait d'une humeur belliqueuse, cédant à des furies dont il ne mesurait pas l'inconsciente cruauté. Un élève cadet lui volait-il un cahier, un livre, qu'il l'eût frappé jusqu'à la mort si on ne l'avait pas arrêté. Lui qui tournait constamment sa pensée vers une terre nue, hivernale et sans domaine, celle de sa mort, avait pour les quelques petites choses qu'il possédait (une montre, une collection de timbres, un fusil, un cahier) un culte éperdu. Un jour qu'il avait ainsi battu un élève de dix ans pour une bête histoire de possession volée, je lui exprimai toute mon indignation en lui disant que je ne voulais plus être son ami. Nous marchions alors dans des champs encore baignés par la pluie de la nuit et le ciel était encore couvert de cette brume poisseuse qui rendait Bernard si mélancolique, plus encore que la neige et le froid. Je répétais:

— Tu es barbare, barbare, je ne peux plus t'aimer...

Et rien ne me répondait en lui sinon le silence menaçant qui était le sien, dans la colère: c'était le silence même de cette campagne animée et détestée à la fois avec son danger sourd qui rôdait à nos flancs, car c'était le temps de la chasse et rien ne chagrinait plus Bernard, cette âme assoupie devant la douleur des hommes, que le martyre des bêtes pendant la saison de la chasse, n'était-ce pas ce même silence haletant et inquiet de la bête poursuivie qu'il y avait entre nous, pendant que je disais: «Barbare...»? Il mâchait des herbes qu'il crachait ensuite avec mépris et le fruit de son corps foulant la terre, à mes côtés, cette masse obscure contre laquelle je n'avais aucune prise, soudain me terrifiait. Il était de cette race d'être qui, lorsqu'ils sentent la peur d'un autre à leur égard, sont si désorientés que leur férocité en est redoublée. Me voyant qui l'accusais (ce que je n'avais jamais fait), il me prit par les cheveux et me fit trébucher dans un trou fangeux: «Et dire que je m'abandonne à un gamin qui se permet de me juger! dit-il en riant méchamment. Tiens, en ce moment, à mes pieds comme tu l'es, je pourrais te faire sauter la cervelle d'un coup de botte!»

— Tu ne le feras pas.

— Et pourquoi? criait-il.

— Parce que je te connais, moi, tu l'as dit, je te comprends!

— Me connaître, me comprendre, ah! tu crois vraiment, tu crois, eh bien, je t'apprendrai...

Il me prit robustement par les épaules et me coucha dans l'herbe. Alors il fit une chose étrange que je ne compris que plus tard. Il se mit à enlever ses vêtements, ne me quittant pas du regard pendant qu'il se déshabillait: «La nudité de quelqu'un, tu crois que cela suffit, tu crois que cela s'appelle connaître, comprendre quelqu'un comme tu dis?» J'interprétais ses gestes comme d'autres actes de provocation dont j'avais été spectateur avec lui, mais quand je revois cette aube, maintenant, et la longue ombre de Bernard qui se dressait devant moi, je songe que ce n'était pas par défi qu'il agissait ainsi mais pour me dire que j'avais raison (peut-être bien peu), et que se dépouillant de ses vêtements, déchirant les apparences, il me disait à son façon: «En vivant aussi intimement avec moi, tu as aperçu un peu de ma vérité sauvage...»

— Ah! me dit Éric en interrompant mon récit au sujet de Bernard, pourquoi vous attachez-vous toujours à des monstres? Mais j'en ai assez de vous entendre parler du passé, sortons d'ici. Je n'aime pas les bars, de toute façon!

Éric quittait le bar de son pas pressé et, en courant derrière lui dans la rue pour le rattraper, je me reprochais encore d'avoir avivé sa jalousie avec mes souvenirs. Je l'entendais qui murmurait: «Toujours des êtres sans qualité, n'est-ce pas, c'est cela que vous aimez? Mais c'est bien votre faute, vous les attirez par la confiance que vous placez en eux: à votre âge, vous regardez encore les gens et les choses comme quelqu'un qui vient de naître, c'est insensé. Ce jeune prostitué par exemple, vous lui avez permis de vous brûler de son regard, vous avez vu son air de triomphe quand il marchait vers la porte? Il vous avait arraché à moi et vous, vous ne vous en doutiez pas, cette façon que vous avez de vous donner à tous, croyez-moi, cela me choque, quel bon petit garçon, n'est-ce pas, il ne vous trahit pas, il est seulement emporté par son rôle, oui, son rôle *rédempteur*...»

— Ne soyez pas injuste. On est si bien dehors. Le jour va bientôt se lever.

Éric aimait cette heure entre la nuit et l'aube où la ville a des odeurs de campagne, c'était l'heure où d'habitude il quittait la tiédeur du lit pour marcher, les cheveux au vent, les mains dans les poches, seul, très souvent, ou avec moi quand il avait pu me réveiller, mais cette nuit-là, il était trop bouleversé par ses sentiments jaloux pour s'égayer pendant sa promenade, au contraire, tout lui paraissait sinistre, laid.

— Cette ville est un désert, pas un chant d'oiseau, pas un arbre en fleurs, on n'y respire que de la fumée, comment pouvons-nous y vivre? Bien sûr, cela vous plaît à vous, c'est l'heure des loups, tout ce que la société rejette frémit à cette heure de lubricité dans l'ombre et la puanteur des chambres, sous le feuillage des jardins, dans les cours pleines d'ordures. Maintenant c'est une femme qui vous invite, regardez, elle vous sourit, appuyée contre le mur, toute flétrie, fardée comme une poupée, c'est peut-être un homme, qui sait? Vous, cela vous est bien indifférent le sexe que vous trouvez. (Il parlait avec une telle intensité que la femme se tourna vers nous, c'était une femme d'un certain âge, lourde et sans beauté et pour qui la vie n'avait plus de mystère, et il est vrai qu'elle aussi, j'aurais aimé la suivre comme le prostitué adolescent car elle devait bien avoir un secret, une souffrance.) Je commence à comprendre pourquoi on vous lèche du regard, ce n'est pas parce que vous êtes beau, vous ne l'êtes pas, c'est votre façon de vous habiller, ce pantalon de velours râpé que vous portez comme une relique, ce pull-over gris que je n'ai que trop vu, mon Dieu, si je n'étais pas là, vous auriez l'audace de vous présenter pour un récital dans un tel costume!

— Ce costume, c'est moi!

— Quelle réponse satisfaisante! Il a tout dit. Mais mon petit, vous n'êtes plus un voyou, mais un musicien. Et vos chaussures, vous n'avez pas vu vos chaussures? J'ai honte de sortir avec vous. Je ne vous présenterai jamais à mes amis si vous continuez ainsi. Vous ne comprenez donc pas que par insouciance, vous menacez votre carrière? Votre avenir? C'est bien gentil de penser à moi, de dépenser votre argent pour moi, je me dis que cela vous apprend la générosité et aussi l'économie car autrement vous seriez assez irréfléchi pour répandre votre argent partout, particulièrement sur ces élus des bars que vous adorez, je ne dis pas pour le prix d'une aventure, mais pour leur faire plaisir, je sais bien qu'il y a en vous quelque chose d'honnête et une sorte d'élévation de pensée, mais enfin, il faut savoir sauver un peu les apparences, c'est un art de ne pas avoir l'air d'un vagabond toute sa vie. Et les cheveux, il sont si longs, c'est trop féminin, êtes-vous un pianiste sérieux ou non? Déjà vous êtes asocial, que vous faut-il de plus?

— Je veux vivre.

— Vivre? Mais vous n'avez aucune originalité, vous, les jeunes, et vous croyez avoir inventé le monde!

— J'aime peut-être trop les êtres, c'est vrai, mais il n'y en a toujours qu'un, ou très peu, que l'on aime avec réussite, sans condition, sans attente.

— Pour le moment, on pourrait croire que c'est moi, votre élu! Mais pour combien de temps? dit Éric en haussant les épaules, et m'aimant comme vous m'aimez, vous aimez encore Bernard et plusieurs autres que je ne connais pas.

Puis nous rentrions en silence, baignant dans cette quiétude, cette promesse de sécurité que s'apportent parfois deux êtres, par moment épars et privilégiés, lorsqu'ils vivent ensemble.

Deuxième chapitre

Quand Éric dormait contre mon épaule, aban-
donné et serein, je profitais bien souvent de cette
accalmie fraternelle pour songer à tout ce qui nous
unissait et nous séparait, lui et moi, songeant que
l'événement de chaque être qui rentre dans une vie
avec violence devrait être un événement heureux, car
Éric, comme Bernard, en brisant l'uniformité des
jours, en me poussant à l'aimer dans des contradic-
tions extrêmes, dans un inconfort sans cesse re-
nouvelé, m'enseignait sans le savoir à aimer sans
récompense, sans conditions, ce qui était peut-être le
seul but valable de ma vie. Auprès de Bernard qui
longeait l'abîme du suicide, et d'Éric qui suivait sa
pente irrationnelle, je construisais ma vie sur du sable.
Mais ne les avais-je pas choisis égoïstement pour
mieux apprendre d'eux cette discipline presque
monastique de l'amour? Ce qui m'alarmait, c'était
l'insuffisance de mes dons pour ces êtres; ma charité, devant eux, avait cet aspect orgueilleux que je
n'aimais pas et je comprenais Éric lorsqu'il me disait
durement: «Les gens qui aiment comme vous, avec

cette plénitude et ce feu, ils oublient toujours ce que les autres éprouvent, ce n'est pas l'amant qu'il faut plaindre, il s'abreuve à sa propre douleur, son propre feu le nourrit, mais l'aimé, lui, est comme une terre sèche, crevassée, à qui l'on demande de produire des fontaines et des lacs, il est là qui reçoit tous les hommages, toutes les offrandes de l'amant et il ne dit rien, c'est l'homme sans réponse et sans voix car il est usé, les dons de la jeunesse l'étonnent et l'éblouissent, mais lui, l'agonisant qui n'est pas tout à fait mort, qui aime encore la vie, qui pense d'abord à protéger sa paix, sa forteresse intérieure, vraiment il ne trouve rien à dire, l'amour de l'autre se transforme pour lui en reproche car il ne sait pas répondre.»

Mais la vraie *terre sèche*, ce n'était pas Éric ou Bernard car ils aimaient à leur façon, de cela je ne doutais pas, c'était plutôt Lucien, maître de contrepoint que j'avais connu au conservatoire (j'avais pu y entrer grâce à des concours musicaux qui m'avaient définitivement arraché de Bernard et du collège), Lucien dont la maturité était âcre, qui appartenait à une race de juges qui pensent d'abord à l'innocence de mœurs que la société attend d'eux, Lucien qui m'avait ému, moi qui avais alors seize ans et lui près de cinquante, sans doute parce que je voyais en lui une image de l'enfer: un cœur atrophié, une âme asservie par des règles morales qui l'étiolaient. Je croyais ne rencontrer là que la sécheresse et la fatigue, mais je reçus un peu d'amour et ensuite le châtiment d'un orgueil immense et torturé: c'était là une vision de l'enfer sur la terre, Lucien punissant l'amour qu'il avait donné, cette gerbe fertile et joyeuse, cette eau, ce rayon de lumière, se punissant ensuite et me punissant, l'un de regrets les plus tristes, le regret d'un instant d'amour, d'abandon que portent en eux les cœurs assassinés. Lucien était un amour malsain, je le gardais en moi, tout mon amour pour Éric ne changeait rien à ce poids d'ombre dont je ne parvenais pas à me libérer.

— Ce Lucien fut une grave erreur dans votre vie, il faut l'oublier, il y a des êtres qui ressemblent à des plantes empoisonnées, il est de ceux-là, le soleil pourrait les réchauffer pendant cent ans, ces êtres-là, ils sont si calfeutrés dans leurs poisons et leurs défenses que rien ne les brûle... J'ai connu cela, ces hommes vous épuisent et ne vous donnent rien. Je crois que si j'ai consenti à être aimé de vous, c'était parce que j'avais longtemps connu la misère du garçon plus jeune qui se heurte contre l'orgueil d'un aîné, c'était par sympathie pour vous...

Et il est vrai qu'Éric n'avait jamais eu avec moi des jeux de séduction ou de mensonge: je l'avais toujours connu tel qu'il était maintenant près de moi, colérique et tendre, loyal, complètement dépourvu de cette fatuité morale qui était chez Lucien l'instrument de sa domination sur les autres.

Dès le premier instant, j'avais su que je ne pourrais jamais conquérir Lucien, dès que j'avais posé sur lui, dans une salle de cours, mes yeux agrandis (par une admiration que je tirais sans doute de mes origines les plus obscures, comme si cet être-là, si peu aimable, si peu fait pour être aimé, je l'eusse rencontré d'abord avant ma naissance, sous une autre forme ingrate, pierre ou granit, bloc d'une matière morte contre laquelle j'avais frotté mes os dans une existence antérieure), ces yeux d'un adolescent toujours prêts à s'émerveiller et dont l'émerveillement avait le défaut énervant d'être un aveu: un aveu de dépossession, de nudité, si bien que ces yeux disaient, avec un air naïf et pressant: «J'ai besoin de vous, je vous en prie, aidez-moi!», incitation sans nuances qui répugnait à des êtres comme Lucien; oui, dès ce premier regard où je me livrais à lui, j'avais senti que cet homme m'avait jugé et que ce jugement de moi serait inflexible.

— Vous commencez trop tard avec moi, que de failles et d'ignorances dans votre éducation musicale, me dit-il, lorsque je le vis dans son bureau, quelques minutes plus tard, et déjà, il le savait, son mépris m'avait atteint et une grimace imperceptible se dessinait autour de sa bouche, mais il était trop tard, je ne pouvais pas me dérober à mon destin, nous étions liés lui et moi mais ce ne serait pas pour notre bonheur. C'est peut-être avec satisfaction qu'il m'entendit lui répondre: «J'ai été mal guidé. J'ai longtemps travaillé seul» et ces paroles qui le firent rougir aussitôt: «Je vous attendais.»

À tout cela, il répliqua vivement, la tête haute:

— Vous vous trompez, je suis un homme normal, si vous saviez le dégoût que m'inspire cette sorte de vice... de... Mais il est déjà quatre heures, je dois sortir.

Tout en me disant, avec l'expression haineuse de son visage, avec toute l'amertume dont son corps était rempli (fermé de toutes parts pour le don de soi, non, pas une goutte de fraîcheur ne voulait ici se répandre pour étancher la soif), tout en affirmant devant moi: «Je ne suis pas de ceux-là», Lucien songeait à me sauver, à réhabiliter la brebis galeuse qu'il voyait en moi, sur le plan sexuel. En même temps, la pitié (laquelle devint une chose si mauvaise entre nous) me saisissait lorsque je pensais à la solitude de cet homme, sa maladresse me touchait, je me disais qu'une sorte de tendresse écroulée se dissimulait sous ce masque d'autorité et de gêne.

— Je ne vous accuse pas, poursuivit-il avec le même mépris, mais c'est dommage, un garçon si jeune, c'est un bien grand malheur. Il est encore temps de choisir une autre voie, vous savez, tout n'est pas perdu. Venez chez moi, lundi, nous parlerons un peu.

— Mais je ne suis pas du tout malheureux.

— Vous êtres trop malade pour vous en rendre compte. Mais on peut encore vous aider.

Que sa chambre, comme lui-même, était peu faite pour m'accueillir! On y respirait un air de tombeau, de longue conversation des choses qui ne servent à personne: c'est dans cette solitude agressive qu'il avait lu des livres qu'il avait replacés avec soin, selon leur ordre alphabétique, dans sa bibliothèque, aucune main légère, fantaisiste, n'avait effleuré ces pages, ces objets froids qui dormaient sur la table de chevet; quant aux meubles, ils étaient recouverts de housses, honteux comme Lucien l'était lui-même sous ses vêtements, sous une veste de cuir trop large pour lui, laquelle lui servait d'abri, de rempart.

— Vous ne buvez pas votre thé. Il sera froid.

Je le regardais, ce captif, prudemment assis dans son fauteuil, loin de moi, les yeux tournés vers la fenêtre afin de ne pas me voir, et je me demandais pourquoi j'étais attiré par lui: jamais cette chambre et celui qui l'habitait n'avaient entendu des confessions aussi impudiques que les miennes, ce jour-là, Lucien m'avait supplié de lui parler de ma vie (toujours avec l'élan sincère de m'aider, souhait qui ne me semblait pas sans beauté dans la mesure où une passion secrète le dirigeait) mais à peine avais-je commencé le récit de mes aventures que je reconnus en lui le profil du confesseur pâlissant sous l'aveu du pénitent. On eût dit que je lui révélais un monde d'orgies et de tumultueuses passions de l'autre côté du mur où il se tapissait avec ses cahiers de musique bien ordonnés, son piano aux sons métalliques, ses livres fastueux. S'il osait me regarder furtivement, c'était comme pour me dire: «Comment de telles choses peuvent-elles exister, mon Dieu?», se félicitant de ne pas les avoir connues plus tôt.

— Ainsi, ainsi vous avez forniqué avec votre mécène, un homme de soixante ans, un homme marié qui a plusieurs enfants, les pauvres enfants, c'est atroce!

— Nous nous aimions beaucoup. L'argent ne jouait pas un rôle important dans cette relation.

— Mais votre corps, bien sûr, vous ne lui avez pas refusé, n'est-ce pas?

— Cet homme était cardiaque, il devait mourir quelques mois plus tard, il le savait. Il se sentait incompris par sa femme et ses enfants. Il voulait aider un jeune pianiste et l'aimer comme son propre fils, c'était son rêve. Les gens gardent leur corps avec une telle avarice, cela me surprend toujours.

— Heureusement, ils ne sont pas tous comme vous, des petits homosexuels qu'on achète... des... des...

Les mots les plus injurieux sortaient de sa bouche, j'entrais dans cette existence repliée et puritaine comme un vent de scandale. C'était la première fois que l'on me marquait au fer rouge, que j'appartenais à une caste: ces mots fielleux rentraient dans ma chair comme des clous, parce que j'avais aimé Bernard, cédé aux caresses d'un vieil homme, parce que j'avais vécu ce que j'avais à vivre, j'étais soudain, aux yeux d'un autre, le plus vil des criminels.

— Mais vous ne savez pas que cet amour-là est condamné par la société. Si l'on avait su, cet homme allait en prison, pensez à ses enfants, à sa femme! Et vous, me dites-vous, vous avez commencé toutes ces saletés à l'âge où les enfants sont purs, à l'âge de onze ans.

— Je vous assure que le corps d'un homme mûr n'est pas si offensant pour un garçon! Vous ne savez pas tout ce que j'ai appris des hommes qui m'ont aimé, je n'ai jamais été choqué ou corrompu par eux...

— Vous êtes un cas pathologique, murmura-t-il d'une voix désolée (et à mon grand étonnement je vis des larmes qui coulaient sur ses joues), il est peut-être trop tard.

— Mais ne pleurez pas, voyons.

J'étais à ses pieds, serrant ses jambes entre mes bras et lui me caressait la tête en disant: «Pauvre petit enfant!» Je voyais maintenant l'aube se lever pour lui, l'aube d'un apaisement que je lui apporterais. «Aimons-nous bien fort» dis-je, et il répondit: «Si je vous aimais, ce ne serait pas pour vous-même mais pour effacer en vous toutes les caresses subies, pour vous remettre sur le droit chemin, ce ne serait que pour vous guérir.» Ces jambes emprisonnées dans un lourd pantalon de tweed, cette rigide veste de cuir, quand donc tous ces fallacieux aspects de lui tomberaient-ils pour me le montrer tel qu'il était vraiment en dessous, fragile, suffocant de tristesse?

— Vous ne le savez pas, c'est peut-être à moi de vous guérir.

Il dit, d'un air rêveur:

— Cela pourrait me rendre utile, personne n'avait besoin de moi. Mais pour votre bien, je n'abuserais pas de vous, ni vous de moi. Je vous aimerai tendrement, avec toute la limpidité dont vous avez besoin après tant de taches dans votre vie. Je vous prendrai de temps en temps dans mes bras comme une mère son enfant car il y a quelque chose de maternel chez les hommes les plus virils, j'ai remarqué cela. Mais je vous le répète, ce genre de choses ne m'intéresse pas. Vous aimer un peu comme

mon fils, qui sait, c'est peut-être ce que vous atten-
dez de moi?

— Je ne crois pas.

— C'est une névrose, il faudra en guérir.

Dès la fin de la semaine, nous allions quelques
jours à la campagne, dans un petit village où Lucien
aimait pêcher. C'est là, un peu à l'écart du monde,
que Lucien espérait commencer son travail de guérison sur moi. Si j'avais consenti au *rôle* qu'il désirait
de moi, à n'être pour lui que le fils bourgeois accompagnant son père à la pêche, si j'avais été cet enfant
sans traces et sans passé, souriant et passif, sans
doute, oui, m'eût-il éternellement aimé, mais je
n'étais rien de tout ce qu'il exigeait de moi, je
n'obéissait à aucune de ces lois conventionnelles, la
fièvre et la curiosité de vivre dont je débordais étaient
pour lui une offense, il recherchait l'ordre (tel qu'il
l'avait toujours connu) et imaginait le salut d'un être
tout en évitant de troubler sa propre commodité
intérieure. Pour moi, le salut d'un autre, ce n'était pas
l'aridité (ou ce qui me semblait pire, cette eau
stagnante) mais le feu, le risque. Il marchait à mon
bras en me disant avec une douceur qui irritait tout
mon être:

— N'est-ce pas plus gentil, plus normal ainsi?
Nous marchons ensemble dans les bois. Nous
sommes unis. Et pourtant il n'y a rien entre nous.
Pourquoi cette obsession du sexe chez vous?

— Vous ne comprenez pas: c'est que nous
sommes hypocrites, vous et moi. Je n'ai pas eu de
liens sexuels avec mes frères et pourtant il n'y avait

entre eux et moi, autrefois, aucune hypocrisie. Mais vous, vous m'imposez, notre relation est fausse au départ.

J'avais eu avec Bernard des saisons de liberté et d'ivresse, j'avais souffert, j'avais pleuré avec lui et j'avais connu à travers sa violence un plaisir qui m'avait laissé souvent à bout de souffle, soudain je me trouvais près de Lucien, dans une jolie maison, près d'un bon feu, je n'avais qu'à renier tout ce que j'avais vécu dans les bras de Bernard pour rentrer enfin dans ce monde social qui était là pour moi, avec sa subsistance assurée, sa chaleur quotidienne, ma chambre vers laquelle je montais le soir avec Lucien qui m'embrassait à la porte (si décemment que j'en étais blessé), le lit aux draps propres vers lequel je n'avais qu'à glisser. Si d'abord je fus étourdis par tant de paix, plein de gratitude pour Lucien qui adorait me nourrir et me soigner («On vous voit des côtes, mon Dieu, dans quel délaissement vous avez vécu, mon enfant», ces paroles, je les buvais à ses lèvres, c'était, me disais-je, sa façon de m'embrasser lui qui m'embrassait si peu), un soir, comme j'avais écouté pendant des heures quelques-uns des disques de sa collection, je lui dis en prenant sa main qu'il retira aussitôt:

— Sors avec moi. Allons dans la forêt, il faut que je bouge.

— Je déteste le *tu*, je vous l'ai dit. Parlez-moi avec un peu de respect.

— Sortez avec moi, si tu veux bien.

— Sortir, à cette heure? Mais il est minuit, et puis c'est ridicule, on nous verra. Je ne vous comprends pas, vous êtes pianiste, avez même un certain talent, il ne faut surtout pas avoir d'illusions à cause de cela, il y a des milliers de concertistes comme vous, eh bien, nous écoutons les plus belles sonates de Mozart et vous, vous avez envie de sortir. Courir dans les bois, comme un gamin. À seize ans, moi, j'étais plus sérieux. Mais il y a une telle séparation entre votre génération et la mienne. Vous n'avez aucune discipline, nous ne pourrons jamais nous comprendre.

— Nous pourrions nous promener toute la nuit, et boire du vin en marchant.

— Je monte me coucher. Je dois me lever tôt demain. Faites ce que vous voulez.

J'achevai de boire seul le vin, sans soif. La pensée du lit blanc qui m'attendait, d'une vie immaculée dans laquelle on m'imposait de tracer un sillon, cela me rendait presque fou. Le feu se consumait lentement dans la cheminée, quelle nuit de lune, quelle nuit pour vivre nous avions perdue! Songeant à Bernard, à ce qu'il eût fait dans les mêmes circonstances, je courus jusqu'à la chambre de Lucien: il me regarda avec surprise, un livre ouvert sur les genoux, ses lunettes lui tombant sur le nez, il dit enfin en rougissant:

— Mais vous êtes fou, vous avez trop bu, retournez à votre chambre.

— Non, je reste.

— Vous verrez, dit-il, je suis incorruptible. Et puis, je commence à en avoir assez de vous, je voulais justement vous le dire demain matin.

Revêtu de son pyjama comme d'un uniforme aux raies rouges, il recouvrait tout son malaise, toute son inquiétude.

— Pourquoi n'enlevez-vous pas cette horreur, lui dis-je avec une insolence que je regrettai aussitôt, avec Bernard je dormais toujours tout nu.

— Ne me parlez plus de vos vilaines histoires. Vous en avez déjà trop dit. Oui, beaucoup trop (et je vis ses lèvres qui tremblaient). Vous ne vous rendez pas compte, vous m'avez troublé, oui, beaucoup.

— Permettez-moi de m'asseoir près de vous.

— Un instant, mais je vous chasserai tout de suite. Je n'aime pas ce que vous avez éveillé en moi... ce n'est pas très propre.

Lorsque je fus tranquillement allongé près de lui, je parlai encore de ce pyjama qui me gênait. Enfin, avec des pudeurs de vierge, il me dit:

— Je ne veux pas me déshabiller devant vous, disparaissant dans le corridor pour se dénuder.

Il revint, me prit dans ses bras, le visage baigné de larmes. Cet homme qui avait eu plusieurs liaisons avec les femmes, qui n'était donc pas aussi intact qu'il disait dans sa vie sexuelle, peut-être même dissolu (là où sa morale était étroite, c'était dans ce domaine interdit; pour le plaisir légitime, elle semblait beaucoup plus ouverte, il est certain toutefois qu'il n'avait jamais amené de femmes dans sa chambre, dernier refuge de la vertu), c'était le même homme qui, simplement parce qu'il avait posé son corps sur le corps d'un garçon plus jeune que lui, cela, sans oser aucune caresse, sous prétexte d'apaiser un peu la faim de son compagnon, disait-il, avait le sentiment, non pas d'un don, mais d'une culpabilité effroyable, comme si l'authentique virginité, l'écorce qui l'avait si longtemps séparé du don de soi-même qu'il fût capable de faire à un autre, s'était déchirée ici, consommée cruellement dans le sacrifice de la modération, de la normalité.

Pleurant ainsi et m'appelant toujours son enfant, son enfant chéri et égaré, je savais qu'il pleurait surtout sur lui-même. Je regardais fixement l'ampoule électrique au plafond, regrettant la nuit et le combat voluptueux que nous aurions pu avoir plutôt que celui-ci qui ne contenait de volupté, pour Lucien, que son renoncement, car se séparant de moi, d'une étreinte que je souhaitais vigoureuse et frémissante, il me disais déjà d'un air affligé:

— Non, je ne veux pas, je ne peux pas. Au moins je n'aurai pas consenti à cela (cela qui était la lie de la terre, la perte de toute dignité, la chute, la mort de tout culte personnel.)

Mais j'avais eu le temps d'apercevoir, pendant qu'il était penché vers moi, ce qu'il avait si peur de montrer (pas aux femmes car auprès d'elles il était fier du plaisir qu'elles prenaient avec lui) à un garçon qui exigeait de lui, enfin, la franchise, l'honnêteté des sens mis à nu: l'expression douloureuse et cynique de sa jouissance. Je ne lui avais pourtant donné aucun plaisir puisqu'il l'avait refusé, mais il avait été trahi par son visage, par ce pli de cupidité sur ses lèvres, par le sourd gémissement de tous ses sens fouettés et aussitôt réprimés. Cet instant fut si dramatique pour lui que jamais il ne me le pardonna: il me dit ensuite: «Vous m'avez séduit, vous en aviez l'intention mais je n'ai pas cédé!», sachant parfaitement que de nous deux il était l'amant et le séducteur. Mais cette nuit-là, s'il ne m'avait pas rendu très heureux, j'éprouvais beaucoup de joie à le consoler. J'essuyais ses larmes, je baisais ses paupières, il m'était ainsi livré dans toute la nudité de sa peur, et je savais qu'il ne serait jamais aussi proche de moi qu'il ne l'avait été cette nuit-là, lorsque je l'avais démuni de toutes ses défenses.

— Je suis comme un lion à qui vous avez coupé les griffes.

— Je sais que demain vous m'en voudrez beaucoup.

— Oui, beaucoup. Mais je n'ai rien à me reprocher. Je n'ai pas cédé, moi!

Il n'avait pas cédé: ce n'était pas le début d'un amour, pensais-je, mais le commencement d'une hantise. Dans le grand lit où la faute tant redoutée n'avait pas été commise, nous n'étions pas des amants mais des prisonniers. Comme il se sentait plus maître de sa soif instinctive, plus noble quand il l'était moins, il se permit de poser sa main sur mon sexe en disant:

— C'est la première et la dernière fois que je...

Mais il n'acheva pas sa phrase car il savait que cet élan sexuel n'existait déjà plus pour lui. J'avais

moi-même le sentiment, pendant qu'il replaçait pré-
cautionneusement ce sexe interdit contre ma cuisse,
qu'il rangeait un objet de cristal dans une armoire
avec la crainte de le casser.

— Tout ce que j'aurai fait pour vous qui n'êtes
rien pour moi...

Puis se reprenant:

— Mais j'ai de l'estime pour vous, je ne sais
pas pourquoi. Peut-être que j'ai un besoin du désordre
dont vous me délivrez. Mais en même temps, je ne
peux vivre dans le désordre, dans cette terrible anar-
chie des sens. J'ai une réputation au conservatoire à
préserver, ces choses sont sans importance pour vous,
mais pour moi, c'est toute ma vie. Et les filles, vous
n'y avez jamais pensé? Il y en a pourtant de ravis-
santes qui étudient près de vous tout le jour.

— Il y a des milliers de garçons qui ne deman-
dent qu'à aimer les filles, mais pour un homme
comme toi, il n'y a personne, il n'y avait peut-être
que moi.

Mais c'est bien en vain que je lui parlais ainsi:
le visage tourné contre le mur, il pleurait encore et
se blottissait dans sa honte comme dans une forme
de surdité.

Que tout cela est différent d'Éric qui me réveille
plusieurs fois la nuit pour faire l'amour, qui prête son
corps à tous les jeux, disant que les corps servent
avant tout à cette délectable fraternité, nous sommes
parfois l'un avec l'autre si enveloppés par ce soleil
affectueux, qu'il me semble que cette chaleur se

répand de nos membres pour aller vers Lucien qui en sera toute sa vie volontairement privé. N'est-ce pas ainsi que je l'ai vu pour la dernière fois, le visage tourné contre le mur, raidi par l'amertume de son refus? Et pourtant, non, ni lui ni moi ne voulions renoncer tout de suite à cette amitié, croyant qu'elle nous réservait peut-être des étonnements plus joyeux. Le lendemain matin, ce n'était déjà plus le même être qui m'avait ému pendant la nuit, mais un étranger qui partageait son petit déjeuner avec moi (la veille même, à cette heure, il avait ouvert ma bouche pour me nourrir de gâteaux, il m'avait secoué par les cheveux, j'avais été le fils imaginaire, je ne l'étais plus); il mangeait en silence, sans me regarder. Cette première désertion me paraissait perfide, n'était-ce pas un reniement gratuit des gestes de l'amour, reniement dont lui-même ne voyait pas la nécessité?

— Pourquoi ne me parlez-vous pas? Pourquoi êtes-vous ainsi?

— Vous devriez vous en douter. Ma décision est prise. J'aurai une attitude bien différente désormais avec vous. Vous avez voulu me vaincre, nous verrons bien qui sera le plus fort. Je crois que vous avez surtout le désir d'être dompté, vous le serez. Je ne vous laisserai plus faire tous vos caprices.

— Mes caprices, mais je n'ai pas eu de caprices avec toi, Lucien.

— Et je ne veux plus être tutoyé, vous avez compris? Jamais plus!

Alors ce fut une époque de ressentiment entre Lucien et moi: l'hiver approchait, nous allions encore à la campagne, mais nous étions solitaires l'un près de l'autre; Lucien me fuyait, tête baissée, la charge de cet enfant lépreux devant qui il avait trahi le déchirement de sa sensualité lui pesait de plus en plus. Il me dit, un matin de décembre, frissonnant de froid devant la cheminée éteinte (car désormais cette maison serait sans feu, le vin ne coulerait plus dans nos verres contre la lumière des flammes et le scintillement du givre aux fenêtres): «C'est fini, nous ne reviendrons plus ici (versant toujours ces larmes à la vue desquelles je m'indignais maintenant, peut-être parce que les miennes, ne coulant plus, me serraient la gorge), je sais bien que cela sera très dur pour vous, mais quoi qu'il arrive, pensez toujours que je suis attaché à vous, que nous sommes liés, même si ce lien, je dois vous l'avouer, me déplaît profondément. Je ne veux pas avoir eu ce désir de vous sauver pour mieux vous perdre. J'ai encore confiance en vous. Je me dis que je pourrai peut-être vous présenter une jeune fille dont vous serez un jour amoureux. Le salut, c'est la femme qui vous l'apportera, pas un homme auprès de qui vous n'exercez que votre autorité, sous cet aspect de candeur; moi je ne veux plus participer à vos jeux de complaisance et tomber dans les mêmes perversions que vous. Tandis qu'une jeune fille...»

— Mais Lucien, aimer une jeune fille serait contre ma nature, ce n'est pas si simple.

— Contre ma nature? Votre nature anormale, mutilée...

— Je ne mentirai pas en aimant une jeune fille.

— Vous ferez ce que je dis car vous m'aimez. Par amour pour moi, vous changerez...

— Non.

— Pourquoi détestez-vous les femmes, enfin? Que vous ont-elles fait? Le plaisir qu'elles vous donnent est tellement plus naturel, plus beau que cette sorte d'onanisme vicieux que vous pratiquez, vous et vos pareils, d'ailleurs, je n'en sais rien, mais j'ai lu un peu à ce sujet et cela me dégoûte, croyez-moi, je suis bien satisfait d'être un homme normal, mon Dieu!

— Pourquoi détesterais-je les femmes parce que je préfère les hommes?

— Parce qu'il faut choisir ce qu'il y a de plus sain dans la vie. Vous n'avez jamais pensé au mariage? Je vous assure que je vous aiderai beaucoup dans cette direction.

— Ah! Laissez-moi, j'en ai assez!

Lui qui méprisait l'amour que j'avais choisi, pourquoi l'aimais-je tant, courant à travers les bois, me jetant contre les arbres enneigés comme pour enfoncer en eux toute la fièvre qui me consumait? Nous allions quitter pour toujours cette maison, la chambre où nous avions dormi ensemble, ce lit qui avait été témoin d'une heure de vérité, vérité angoissée mais sans mélange qui serait ensevelie là, éternellement: c'était pour mieux enterrer cette vérité, ce souvenir si grave, que Lucien souhaitait fuir sans attendre, retourner à ses occupations sans blâme à la ville. J'étais la cicatrice de sa vie, j'avais terni la haute figure qu'il avait de lui-même. En ce matin d'hiver, je n'avais pas la force de quitter cette forêt, la rivière où nous avions pêché des truites dont il m'avait tendrement nourri, toute cette nourriture avait été le symbole de l'autre aliment qu'il portait en lui-même et qu'il m'avait défendu, par orgueil.

— Mais où étiez-vous, Sébastien, je vous ai appelé, je vous ai cherché partout, venez, c'est l'heure de partir.

— Je ne veux plus vous suivre.

Je regardais ses pieds, ses bottes vertes aux lacets dénoués, le pantalon un peu flottant qui cachait si bien les formes de son corps, ainsi, debout devant moi, essoufflé, car il avait couru derrière moi pour me retrouver, ses cheveux gris sur son front, la buée de son haleine venant jusqu'à moi, j'avais l'impression de l'étreindre encore au fond du lit, de prendre toute sa misère pour le soulager.

— Lucien, dis-je, pensez combien je pourrais vous aimer encore, et vous aussi, c'est absurde d'en arriver à cette solution.

— Mais je ne me sépare pas de vous, je vous verrai encore, dans mon bureau. Nous dînerons ensemble, nous irons ensemble au concert, nous serons très heureux, comme de vieux amis, venez, mon garçon.

Gauchement, son bras entourait ma taille. Mais je le sentais, pour obtenir des gestes aussi simples de lui désormais, il me faudrait devenir un mendiant, cette mendicité sans espoir, seule, lui semblait permise.

«J'ai décidé, avait-il dit, donc, cela sera!» Au conservatoire, comme dans les rues de la ville, il était sourd et aveugle à ma présence. Puéril et désespéré, je rêvais de lui demander pardon à genoux (sous sa bénédiction dédaigneuse, il serait encore un peu avec moi, me disais-je), mais pardon pourquoi et que lui avais-je fait? «Vous avez brisé ma vie!» telle serait la réponse qu'il m'accorderait après trois mois de silence.

— Vous êtes la croix de mon existence.

— Pourquoi ne pas rompre avec moi, alors?

— J'ai envers vous une responsabilité. Je vous garde seulement à cause de cela.

— Pour épargner votre existence?

— Non, pour vous épargner, vous. Mais je ne vous aime pas, je vous aime même de moins en moins. Je ne puis penser à vous sans une extrême irritation.

Ce sentiment venimeux croissait pendant chacune de nos rencontres. Avec le temps, l'infection du remords, je me transformais pour lui en cette Faute qu'il exécrait parce qu'il avait eu une si forte tentation de la commettre: il me recevait encore dans sa chambre et s'asseyait à une lointaine distance de moi, séparé de mon corps par le grillage de ses livres, de ses pots de fleurs, mon châtiment pour l'avoir aimé et avoir excité son désir, c'était cette distance, cette mare de gel, ce gouffre. Malgré toute ma volonté de terminer cette histoire (car contrairement à ce qu'il croyait, je n'aimais pas souffrir), il me ramenait sans cesse vers lui au moment où j'étais sur le point de le quitter. On eût dit alors qu'il craignait plus encore sa solitude que son mal, et que sans vouloir faire de moi sa proie, il avait besoin du sang de la blessure qui venait de s'ouvrir en lui. Pour me chasser et me séquestrer à la fois, il découvrait chaque jour la puissance de sa technique. «Quand donc serez-vous indépendant, me disait-il, quand donc me laisserez-vous seul?» m'invitant d'autre part, chez lui, à des rendez-vous de morosité «pour faire son devoir» comme il me le répétait, où toujours assis loin de moi, la tête inclinée vers la fenêtre, il me parlait des femmes de sa vie, poursuivait mon éducation, me peignant la vie licite que je manquais. Il se souciait peu d'éveiller ma jalousie, d'exaspérer mes sentiments pour lui, il me laissait parfois un peu plus réconcilié avec lui-même (dans la mesure où il avait cru m'aider), me donnant une brève caresse sur la joue, une tape sur l'épaule.

Même si j'étais avec Lucien tout éperdu de mendicité (car lui, refusant tout, et moi ne pouvant rien lui offrir, je sollicitais inlassablement son amour, faiblesse dont il abusait), l'octroi qu'il me faisait d'un geste plus attentif ne m'apaisait pas. Parfois, pour montrer aux autres la pureté de ses actions, il m'embrassait dans la rue avec un air de candeur énergique mais feinte. Lorsque nos conversations s'achevaient tard dans la nuit, il m'incitait à sortir de chez lui

comme un voleur, me rabrouant le plus loin possible
dans les rues désertes ou appelait un taxi que j'attendais loin de sa maison. Sans doute fallait-il s'accom-
moder de ces signes d'angoisse, car il aimait
quelqu'un comme moi, un garçon qui avait des liens
sexuels avec d'autres hommes, ce qu'il appelait, lui,
«un pauvre être marqué à jamais», en le marquant
davantage, et peut-être avec la volonté inconsciente
de le punir pour tous les autres auxquels il avait
renoncé pendant sa vie. Mais aussi, j'avais déçu son
espoir de me réhabiliter, je n'avais pas accompli sur
moi-même la correction qu'il espérait. Il était toujours
le père magnanime, d'une droiture sans failles, et moi,
le fils inquiétant qui risquait d'amener la débauche
dans sa maison. Aussi, il ne mentait pas lorsqu'il me
disait:

— Vous ne me faites que du mal et moi je n'ai
toujours désiré que votre bien! Vous avez bouleversé mon existence: êtes-vous satisfait maintenant?
Vous aurez été le plus grand malheur d'une vie.

Soudain, cela venait peu à peu, lorsqu'il me per-
mettait de poser ma tête sur ses genoux, de lui prendre la main quand nous étions confinés dans sa
chambre et très seuls («Et bien sûr, ajoutait-il, je fais
cela par charité»), je ne l'aimais plus avec avec la
même naïveté, la même foi. J'avais de plus en plus
le sentiment d'être abaissé. Cet homme venait vers
moi avec une haine de la vie et de sa propre personne
qui me semblait monstrueuse, mais si je l'aimais
moins, j'éprouvais pour lui cette vertigineuse pitié,
laquelle a le malheur de vous unir pour toujours à

des êtres aussi contempteurs de la signification de toute pitié, pitié qui ne me quitta plus pour des hommes aussi orgueilleux, mais pitié inutilement ressentie. Lucien m'inspirait peut-être du désespoir mais avant de le connaître j'avais connu un bonheur de vivre presque animal qui m'exaltait encore: j'avais admiré en Bernard un animal à l'état pur, une sensualité hardie qui dépassait la mienne (n'était-il pas le loup féroce, et moi, en comparaison, je passais sur sa lande venteuse comme un jeune animal dolent, caressant, avec qui l'on joue pour l'oublier ensuite?) mais Lucien n'appartenait pas à ce monde sauvage, ses sens ne vibraient plus, et la souffrance qui le rongeait, tel un vice, n'avait rien d'admirable. N'était-ce pas pourtant cet aspect de lui-même qui me le rendait de plus en plus attachant à mesure que j'aspirais à ne plus l'aimer? Je le condamnais parce qu'il m'aimait mal, mais souvent je me demandais s'il n'éprouvait pas, lui aussi, sans le reconnaître, une nostalgie de ces lieux que nous avions quittés pour toujours (et où j'avais compris en m'arrachant au souvenir d'une maison un peu de la brutalité de l'exil), une nostalgie originelle, sans guérison, laquelle avait commencé bien longtemps avant sa naissance ou la mienne, mais dont chacun était tour à tour l'héritier et la victime.

Si j'avais eu mal en quittant cette maison un peu laide, les forêts lugubres qui l'enserraient, c'est que j'avais eu le pressentiment de quitter l'autre Maison, la vaste maison symbolique, celle dans laquelle j'avais peut-être vécu, avant ma jeunesse, dans une paix merveilleuse que je n'avais plus, qui me transperçait encore par instants mais que je tentais vainement de retrouver. Ce foyer des réconciliations ineffables, cette table où les nourritures de la bonté, du pardon, coulaient en abondance des mains du Père ne distinguant plus entre les fils prodigues et les autres, cette porte de l'accueil divin avait été fermée, mais si cette maison délaissée dans la neige représentait pour moi un tel paradis perdu, noyé dans les brouillards de l'hiver comme ces champs, près du collège, où Bernard m'avait souvent forcé à des courses haletantes derrière lui, l'éternel gibier pourchassé, je ne sus jamais, moi, ce que signifiait cette maison pour Lucien qui avait perdu là, dans les bras d'un autre du même sexe que lui, toute l'armure de sa pudeur, pour s'abandonner, se perdre dans un délire amoureux qu'il se félicitait de ne pas avoir réalisé. C'était peut-être, tout simplement, la maison rustique, une femme, des fils, un refuge pour son bien-être, une famille vivant dans l'ombre de sa tendresse, des fruits de son travail, dans la campagne tranquille, c'était peut-être cela qu'il avait laissé derrière lui en me disant:

— Partons, partons vite, ne pensons plus à cette maison. Cette histoire est finie maintenant. Pourquoi regardez-vous toujours en arrière, il ne faut pas.

Ou bien était-ce la maison protectrice contre tous les dangers qui venaient de dehors, la grotte maternelle, l'abri, une chaleur tiède mais qui jamais ne brûle? Je ne le saurais jamais. Si je lui avais crié avec une trop grande franchise: «Aime-moi!», lui avait eu la subtilité, la maturité surtout de dire de façon plus couverte: «Je suis seul», et puis il avait été affolé par la vérité physique de son aveu et méprisait en moi la pitié qui l'avait accueilli et enveloppé, pitié bien amère car je m'agitais dans son étreinte chaste comme dans un buisson d'épines. Là, toute ma force vive se retournait contre moi-même avec démence. Dans cette désolation, j'entendais un autre cri: le cri bestial de Bernard, le chant de sa sensualité robuste et sans honte. Bernard qui allait dans la direction opposée et qui, lui aussi, me troublait:

— N'aie pas peur, me disait-il, ce n'est que ton corps que tu prêtes et le corps n'est fait que pour ça. Un jour tu seras mort et pour toi il n'y aura plus de volupté sur la terre. Mais des vers pour se disputer ta peau. C'est à ton âge que l'on jouit, après on pleure.

Mais alors, pourquoi ne me confiait-il pas le secret de sa vie animale que je respectais tant? Il s'amusait avec moi comme avec un enfant, ce que j'étais, mais pourquoi retenait-il ce hurlement qui jaillissait de lui comme un cri de victoire quand il était avec les autres, quand il cédait aux caresses des animaux de sa race, ceux qui s'anéantissaient l'un dans l'autre dans une bestialité joyeuse? Sans doute me croyait-il bien indigne de cette fête païenne car, la nuit, quand il avait assez joué avec moi, son «rat des neiges», disait-il, il allait rejoindre ses mystérieux amants, et bientôt, tapi seul au fond de mon lit, je l'entendais, ce cri de la jouissance qu'il prenait d'un autre tout en lui donnant, c'était une plainte cadencée à double voix qui montait dans la nuit comme le chant de leur mort et de leur extinction, quand les chasseurs, par milliers, les assassinent et que la forêt crépusculaire se referme sur eux, et c'était ce cri, à l'origine de tant de choses, de tant de beautés et de tant de malheurs, qui ne m'était pas destiné à moi seul comme je l'eusse souhaité. Sur ce cri, je pleurais de jalousie, je me sentais trahi. Dans cet univers de collégiens où il y avait si peu de charme, car nous étions tous trop lamentables pour plaire, Bernard trouvait toujours quelque noble visage: une nuit, c'était un fermier qu'il avait rencontré en cueillant des champignons dans les bois, un jeune homme de vingt-cinq ans environ que j'avais aperçu, une fin de journée de printemps, conduisant le tracteur de son père dans les champs; il était d'une beauté si fine, avec ses cheveux bouclés, son teint rose, qu'il venait à vous comme une douceur de vivre, mais une douceur inaccessible, errant dans un paysage qui n'avait au contraire rien de doux ni de mélancolique, qui n'était qu'âpreté et saison pluvieuse. Mais cette douceur qui se transforme la nuit en un fauve merveilleux dans son avidité, sa souplesse, Bernard savait comment l'arrêter un instant, la conquérir puis la regarder s'échapper à l'aube sans tristesse.

Bernard m'avait souvent négligé pour en aimer d'autres (et même des garçons sans intérêt qui partageaient le même dortoir que moi, mais je commençais à comprendre qu'il était, par la nature même de son animalité, un être infidèle); ennuyé par son existence scolaire, il disait avec provocation, un sourire énigmatique flottant sur ses lèvres charnues: «J'ai deux besoins, la faim, le sexe, c'est tout!» Mais cette gloutonnerie ne masquait-elle pas chez lui deux appétits spirituels aussi vigoureux: nourrir et être nourri? Il était le défenseur des bêtes dans la mesure où il était lui-même une bête enfermée, et lui qui pouvait être d'une telle grossièreté, d'une telle indécence (la pudeur n'existant pas pour lui), se penchait vers une bête blessée ou captive avec des délicatesses inépuisables de père nourricier, je devrais dire de nourrice, car c'est à une forme de la mansuétude féminine, presque virginale, qu'il me faisait penser alors. Son large front paraissait s'éclairer d'une lumière intérieure lorsqu'il soignait un animal, ses yeux brillaient d'une tendresse très empressée et à observer ainsi l'indulgence de son visage, on oubliait ses grosses mains inhabiles caressant le pelage de la bête.

La nourriture jouait un rôle important dans notre relation. Avant l'arrivée de Bernard, je ne pensais qu'à ma faim, j'attendais la visite de ma mère, plus encore pour les friandises qu'elle m'apporterait que pour elle-même, quand pourtant je l'aimais beaucoup et désirais la voir. En même temps, je savais que ce que l'on me donnait à moi, mes frères et sœurs qui étaient encore à la maison pourraient en être privés. Cette faim était une perpétuelle inquiétude jusqu'au jour où j'avais compris que Bernard était aussi capable de la rassasier. La pensée qu'il faisait avec les autres ce qu'il faisait avec moi et que je croyais unique me torturait beaucoup, le cri de sa jouissance, que je l'aie imaginé ou vraiment entendu sous la fenêtre du dortoir, ou de l'autre côté d'une cloison, ce gémissement, quand il avait lieu, me séparait de lui cruellement. Comment pouvait-il me regarder avec une telle assurance le matin, lorsque je marchais en rang avec les autres? Comment pouvait-il frôler mon bras de son coude comme il avait fait le veille, avant de me trahir? Il ne m'était pas loyal et moi je ne me donnais qu'à lui, me disais-je. Dans plusieurs de mes rêves, il empruntait l'image d'un ours que je veillais dans sa cage: un garçon plus fort que moi apparaissait soudain dans son uniforme de collégien, il ouvrait la cage, me souriant avec ironie et s'enfuyait avec Bernard ricanant à ses côtés. Je sortais de ces nuits troubles en courant à la trace de Bernard, il était peut-être endormi près de la rivière où nous avions l'habitude de nous promener: un soleil pâle se levait sous la brume, je m'habillais, je courais vers lui, traversant les champs mouillés. Il était là, allongé dans l'herbe, il fumait d'un air boudeur:

— Tu me surveilles, maintenant, toi! Tu ne dors plus la nuit? Je suis libre, tu entends? Que viens-tu faire ici? Je n'ai pas besoin de toi.

— Pourquoi n'es-tu pas venu cette nuit? Il n'y avait pas de surveillant, je n'ai pas dormi. Je t'ai attendu.

— Qui a dit que je viendrais voir un petit idiot toutes les nuits? J'ai autre chose à faire, tu penses!

Je n'ai jamais dit que je t'aimais. Tu es trop jeune pour moi.

— Alors pourquoi m'as-tu choisi?

— C'est toi qui m'as choisi. Moi je ne choisis personne. Je te l'ai dit. Quand j'ai faim, je mange. Retourne te coucher. Tu m'agaces. Toujours en train de penser à des choses qui ne te concernent pas. Tu penses peut-être que tu es désirable, maigre comme tu es. Tu vois bien que ça t'épuise, tout ça. Va te coucher.

— Moi, c'est vrai. Je t'aime.

— Tant mieux, on en a toujours besoin, ça suffit maintenant, tu peux aller dormir.

— Pourquoi es-tu si mécontent?

— Ah! Pourquoi? Pourquoi? Tu ne finiras jamais avec tes questions. Toujours à me harceler. Je ne suis pas content, c'est tout. J'ai faim, pas une faim ordinaire, tu ne comprends rien. Tiens, c'est l'aube, bientôt ce sera le matin et je n'ai pas envie d'apprendre quoi que ce soit et d'aller m'asseoir sur un banc d'école. C'est drôle quand on y pense, il y a des pensionnaires ici, qui communient chaque jour. Moi je ne pourrais pas, ça me réveille trop l'appétit. Il y a des gens qui mangent bien le corps de Jésus, j'imagine qu'ils ont raison, mais nous aussi, tu comprends, on devrait se faire des festins, de grands banquets. Quand il n'y a pas de pain, et même quand il y en a, on devrait se repaître les uns des autres.

Et ce qu'il voulait dire par là était quelque chose de très sensuel (son exubérance étant toujours un peu licencieuse comme son choix des êtres), ce qu'il aimait par-dessus tout, c'était que l'autre puisse se servir copieusement de son corps, avec joie, témoin d'une cène plus païenne que déifiée, il était, lui, ce corps dépourvu de toute prétention, le don physique par excellence, la gaieté animale livrée à vous en toute ingénuité. Que n'inventait-il pas pour exercer tout son art de la nourriture! Un jour, c'était un festin dans l'herbe: «Tu vois, disait-il, je suis tout à fait nu comme une table, si tu m'aimes, improvise un peu pour m'apporter à boire et à manger. Caresse-moi tout le corps avec des pommes, enveloppe-moi dans des fougères, et si tu as faim et soif à ton tour, viens boire, tous mes membres sont à toi, mais si tu ne sais pas me faire jouir, va-t-en, je ne veux pas m'ennuyer.» J'en sortais comme d'un lourd repas de connaissances, heureux et légèrement affaibli, découvrant sur mes bras et sur mes cuisses les marques de cette bouche vorace qui m'avait nourri. Mais dans l'amour physique avec Bernard, comme plus tard avec Éric sur le plan moral, j'avais l'impression de m'engager en un dur combat. Tous les deux, par un excès de puissance, par leur aveuglement, leur insatiabilité (l'une et l'autre pourtant si différentes), éprouvaient sans cesse mes sentiments pour eux. Ils semblaient me dire avec ironie: «Lui qui dit m'aimer tel que je suis, comment en sortira-t-il?» Dans les deux cas, les épreuves se succédaient si rapidement que j'avais à peine le temps de réfléchir à ce qui m'arrivait, mais il est certain que l'action d'aimer, même sans repos, même sans conquête durable et sans repos, me faisait plus de bien que de mal. Ces deux êtres ne pouvaient aimer que dans la violence, guerriers sans carapace, ils exigeaient de leur partenaire une force qu'ils n'avaient pas eux-mêmes et s'ils sentaient soudain en lui la même faille qu'il y avait en eux, ils le châtiaient pour cette faiblesse. Si, au sortir de l'adolescence, j'avais continué de vivre avec Bernard, l'amour sensuel qui existait entre nous avec une telle ardeur ne m'eût toutefois pas consolé de sa bassesse.

La mélancolie, la solitude de la campagne où nous vivions poussait Bernard au sommet de sa sensualité, la partie la plus noble de lui-même: mais dès qu'il disparaissait dans la foule d'une ville, c'était comme pour en épouser les élans les plus vulgaires. J'avais eu la révélation de cela en l'accompagnant à une piscine populaire pendant les vacances. Lui, orphelin en ce monde dont j'ignorais à peu près tout le passé (il en avait sans doute plusieurs, qui sait quelles époques de barbarie il avait connues avant de venir jusqu'à moi?) et qui n'avait maintenant comme défenseur que son corps de paysan, son apparence de rude virilité, éprouvait pour tous ceux qu'il considérait supérieurs à lui (et dans une grande ville, tous le devenaient) une envie, une jalousie malsaines qui déviaient toute sa personnalité. «Tout ce qui sourit d'arrogance en ce monde», c'était n'importe quel citadin qu'il croisait dans la rue et qui lui paraissait mieux vêtu que lui, plus instruit, ou très souvent plus adapté à la vie sociale. Il savait que là, son besoin d'amour ne serait pas comblé, sauf en s'abaissant jusqu'à des êtres qu'il méprisait. Ensuite, il affirmerait avec insolence: «Toutes les saletés de la terre, je les prends (n'employant plus le mot «nourrir») je me vautre dedans.»

Pour mes frères et moi, l'été était surtout une saison de travail, même si nous nous gardions, en secret, des jours pour le vagabondage. Mais ma mère n'aimait pas cette main du dénuement qui pesait sans cesse sur les siens; parfois, dans une vive révolte contre son destin, elle prenait ses aînés avec elle, décidait que nous devions voir la mer, relâchant sur la grève sauvage notre bande avide de liberté. Mais ce que je retiens surtout de ces promenades, plus encore que la brûlure du soleil sur mes épaules nues, plus encore que le grondement de la mer que nous laissions derrière nous, à l'heure du retour, c'est le sentiment de l'existence de ma mère, de son existence séparée de nous, ses enfants; elle aussi, comme mes frères et sœurs, comme moi-même, était un être autonome, définitivement seul jusqu'à la mort et cette pensée me frappait jusqu'à l'étourdissement. Jeune femme, ses jolis cheveux tirés par le vent, dévoilant déjà un front de femme mûre, tout exaltée par sa promenade et le plaisir qu'elle nous donnait, je l'entends qui marche au milieu de nous, en nous prenant par la main, j'entends cette respiration farouche qui disait: «J'existe moi aussi, non seulement en fonction de vous que j'ai faits, que j'aime... mais j'existe, toute seule, comme un caillou, comme l'herbe», cette respiration, cela seulement qui trahissait toute sa souveraineté sur nous et qu'elle n'eût jamais formulé avec des paroles.

Les piscines que je fréquenterais plus tard avec Bernard contrastaient beaucoup avec ces paysages familiaux: ici, la grève blanche était remplacée par une double terrasse noircie de baigneurs douteux, la mer par un étang de sueurs et de chlore, et le hâle de mes frères par une épave de corps cireux se chauffant aux quelques rayons d'un soleil artificiel. Si seulement Bernard n'avait pas cédé là à une telle expression de dégoût pour lui-même! Si bien qu'il me reste encore une impression flétrie quand je revois avec quelle hypocrite émotion il s'associait, non pas à l'authentique prostitué, celui-ci il le fuyait, mais à ce qu'il appelait lui-même «des essaims de crapules, des petites canailles», ce qu'il trouvait là, dans ces piscines où le désir était surtout une question d'argent et de très brève convoitise, car les corps y étaient plus froissés, frôlés que pris ou donnés. Cela lui importait peu, je me souviens, car accepter un peu de monnaie, rejeter ce sexe qu'il aimait et vénérait tant, à des lèvres ou à des mains inconnues, en faire un objet étranger, ce geste était si absolu et si avilissant, que tout en se vidant de sa jouissance, il se regardait dépérir en grandeur. Il semblait se dire tout en s'agenouillant entre les bras de ses agresseurs pleins de mollesse: «Je meurs, je perds mon sang, enfin je ne suis rien», et le sentiment d'humilité qu'il éprouvait après ces instants n'était peut-être qu'une illusion, car c'était l'orgueil qui l'emportait; en aimant «la crapule, la canaille» («car qu'est-ce que le plaisir physique, disait-il, cela ne vaut rien en ce monde»), il avait trahi l'amant de passage, et, dans ce besoin de trahison, son orgueil avait connu une extrême prodigalité. «Viens, allons manger mon garçon, nous sommes riches maintenant, c'est à mon tour de te nourrir. Pourquoi me regardes-tu comme ça?»

— Tu me fais peur.

— Pourquoi? Parce que je vais avec n'importe qui? Et puis après? Tu n'es qu'un gamin. Tais-toi. J'irai bien avec qui je veux. Même si ça ne me plaît pas toujours. Tiens, garde ça pour tes frères, et le reste pour aller au concert. Je sais que tu te prends pour un musicien. Un bon jour, un Monsieur rempli d'or va passer sur ta route et te dire: «Tiens, tu n'as l'air de personne, de rien, toi, mais je reconnais sous tes guenilles l'enfant génial que tu es, viens, suis-moi, je t'aimerai, c'est le début de ta carrière.»

Bernard ne se doutait pas que c'est de lui-même que j'attendais ce «suis-moi, je t'aimerai» et le bonheur d'être enfin distingué des autres, reconnu. En attendant, je revenais de nos baignades à la piscine dans le chagrin, évitant le regard de Bernard, fuyant le front pesant qu'il penchait vers moi: je n'avais qu'à lever les yeux vers lui pour lire sur ses traits une expression de volupté pâteuse, laquelle paraissait se figer au coin de sa bouche, sous les plis de ses paupières, relent d'une volupté étrangère à tout ce que j'aimais en lui, et qu'il transportait avec lui, odeur soupçonneuse de tous ceux auxquels il s'était prêté, profitant de la promiscuité des douches et d'autres lieux publics. Lui qui était prêt à battre jusqu'au sang mes ennemis du collège, devenait à la piscine aussi traître que lâche, amusé quand l'un de ses coquets amis prenait ma place ou volait ma serviette. «Il faut te défendre tout seul, maintenant, il est temps que tu plonges dans l'enfer de la vie», disait-il, en me poussant dans l'eau, dans ce puits de corps et de visages grimaçants.

— Laisse-moi te dire une chose, ils ont peut-être les cheveux teints, une démarche ridicule comme s'ils allaient porter des œufs aux pieds de la madone, mais tu appartiens à leur catégorie, tu es de leur race.

— Ce n'est pas vrai.

— Quand tu auras fini de te croire supérieur aux autres, toujours plus intelligent ou plus délicat, tu seras un homme, le monde des hommes, avec tous ses vices, toutes ses impuretés, ne t'étonnera plus, ça te deviendra aussi familier que ta propre salive. Eux aussi, comme toi, ont besoin qu'on les embrasse et qu'on les caresse. Ils te font horreur parce que tu ne comprends pas leurs besoins. Essaie de t'imaginer que cette piscine surpeuplée, c'est une image du monde, une foule de gens, plus ou moins méchants, ni beaux ni laids, nageant dans une eau empoisonnée par leur propre urine et leurs propres microbes, ils nagent, ils sortent leurs têtes d'insectes pour respirer un peu d'air, sentir un peu de soleil, c'est l'innocence même de la médiocrité du monde, voilà ce qu'il faut te dire. C'est un spectacle que tu dois voir avant de grandir un peu car quand tu ne seras plus avec moi, tu l'auras constamment sous les yeux. C'est vrai que je suis vil, je ne t'ai jamais caché cela de moi. Je t'ai dit quand tu m'as connu que je n'étais qu'une larve et tu m'as aimé, tu as idéalisé mon image, maintenant c'est à toi de payer! Voilà ce que je suis et ce que je vaux, cette sorte d'embryon qui a volé ta serviette et qui s'étend dessus, au soleil, et qui se prend pour Apollon, regarde-moi ça, il se laisse dorer la crasse et les boutons du ventre comme un dieu dans son maillot indécent, cette crapule, tu ne l'aimes pas, hein, c'est moi aussi, ça, en lui faisant l'amour dans la toilette tout à l'heure, je reconnaissais ma bassesse en lui. Pour lui, comme pour moi, il vaudrait mieux n'être jamais né... Lui, c'est un cadavre de vanité, ce n'est pas une personne, c'est un sexe enrubanné qui se promène comme une dame, et moi, je suis comme un étrangleur, un éventreur qui cherche les racines de la vie dans des cimetières.

Bernard, comme Éric plus tard, parlait toujours comme si mon amour pour lui n'avait jamais existé. Si j'avais eu plus de finesse, j'aurais sans doute compris qu'il avait besoin de se l'entendre dire et répéter, mais je l'écoutais dans un morne silence et ne le rassurais pas. Il y a tant de gens, me disais-je, à qui l'on refuse l'amitié, l'estime la plus parcimonieuse et ce qui jaillissait ici du cœur comme une source ne touchait pas Bernard. Avec Bernard, j'entrais dans une vie sentimentale où la pensée du gaspillage, de la dissipation des biens de l'amour devint pour moi une obsession. Avant l'âge de quatorze ans, n'avais-je pas dilapidé ainsi toute une fortune?

— Le coupable, c'est vous, toujours vous. Vous n'avez qu'à choisir des êtres qui vous aiment, plutôt que des monstres comme Lucien ou moi, pour qui l'amour est une lutte perverse, me dirait Éric, longtemps après que la voix de Bernard se serait tue.

Ce que Bernard m'avait surtout appris c'est que l'amour ne faisait pas nécessairement de nous des guérisseurs et des saints comme j'avais tendance à le croire: en son nom, on pouvait aussi perpétuer les crimes de la terre. On le gaspillait un peu comme on sacrifiait chaque jour le pain des hommes. Lorsque j'aimais quelqu'un, je faisais un choix qui écartait des milliers d'autres êtres et cette prédilection, par elle-même, ressemblait à un acte d'injustice. C'était donc cela qui, selon Bernard, était la seule action honorable de la vie, cet élément de discorde et de souffrance?

Et pourtant, Bernard (qui disait de lui-même qu'il était «barbare, mou et cruel»), même en me dilapidant comme il l'avait fait dans sa fièvre animale (avec lui, aucune paix, toute ma vie était remise en question), en faisant éclater en morceaux le rêve de mon existence (et le rêve que j'avais eu de l'amitié d'un garçon), ne prenant en moi-même que la part infime dont il avait besoin et rejetant tout le reste (et surtout mon espoir de salvation qu'il avait jugé si méprisable), avait été pour moi ce qu'il cherchait avant tout chez les autres, la nourriture, le pain de vie...

Troisième chapitre

J'avais aussi connu un genre de garçons dont la camaraderie sans conséquences, l'amour sans continuité (aussi facile à saisir que l'herbe au bord des routes), ne m'avaient apporté que du bien-être. Charmants, frivoles, parfois pleins d'humour, ils passaient dans une vie comme des lueurs dans un ciel d'été: après les avoir embrassés la nuit dans une chambre d'hôtel ou dans un parc odorant, à l'heure où tout le monde dormait, la vie semblait plus sereine et je retournais vers Lucien ou Éric avec un cœur fortifié. Auprès d'eux, aucun labeur d'aimer, aucune pensée, leurs bras s'ouvraient comme des lits de fraîcheur. Étudiants flânant la nuit, les mains dans les poches, à la recherche d'un contemporain (ou de n'importe qui qui fût capable de répondre à leur code secret, sorte de chant physique silencieux de la séduction, de l'appel), ils avaient le désir lent et la démarche un peu endormie, seuls leur sourire ou la franchise de leur regard paraissaient étonnamment réveillés et avertis.

— Tu veux venir dans ma chambre, il fait froid, je ne peux pas payer le chauffage, viens, nous serons bien. Attention au chien de la concierge, il mord.

Parfois, l'étudiant ne parlait pas votre langue et ce n'est que dans son lit, que sous le profil d'une tête banale (du moins, je l'avais aperçue ainsi dans la rue) qu'on découvrait le corps d'un dieu nordique, étreignant une image de la perfection que l'on ne reverrait plus. Il y avait aussi, au contraire, tel visage qui semblait beau, sous les reflets de la lune, ou par les nuits d'hiver (surtout quand il avait neigé dans les cheveux blonds de l'inconnu et que ses joues étaient empourprées par le froid, c'était toujours pour moi une apparition saisissante, le garçon légendaire ne tardait pas à me rappeler qu'il appartenait à un monde fort pratique en s'abattant sur moi avec une vigueur de soldat), ce visage qui m'avait d'abord impressionné parce que je l'avais mal vu, se métamorphosait, dans l'intimité, en un visage semblable à des centaines d'autres, enlaidi par l'âge ingrat quand il s'agissait d'un garçon plus jeune que j'avais pris pour un aîné, et loin de posséder des qualités soyeuses et la couleur du blé, les cheveux blonds du camarade n'avaient pas été lavés depuis longtemps. Rien ne me touchait plus, ne me réconfortait davantage que ces moments de révélation de la vie des autres, quand j'étais trop malheureux avec Éric ou Lucien, je ne vivais que de la simplicité de ces fragments de vie, sans gravité, sans pesanteur. Ce chœur de compagnons, isolé des drames de ma vie, même quand il me décevait par une mélodie différente de celle que j'avais imaginée ou entendue en moi-même (plus un amour est passager plus il semble inhabituel), ne me décevait pas vraiment, car plutôt que de se complaire dans mes songes, chacun de ces amis se montrait tel qu'il était, dans la familiarité inculte des frères entre eux, disant au fond: «Tu m'acceptes ainsi ou tu pars.» Aucune protection vaine, on foulait l'apparence à ses pieds avec dédain: à quoi bon mentir, chacun savait pourquoi il avait répondu au sourire de l'autre et vers quels jeux frustes il marchait.

Je montais vers la chambre d'un collégien qui s'appelait André ou François; comme une fraction de cet André lui-même, le café refroidi traînait encore sur la table de travail, parmi les livres et les devoirs de latin, André buvait le café et je le buvais aussi, la chambre qu'il ne balayait jamais, le lit qu'il ne faisait pas, tout cela me devenait aussi naturel qu'à lui-même et quand il se déshabillait vite en m'ordonnant de sa voix brusque: «Éteins vite, on gèle, qu'attends-tu donc pour me réchauffer?», j'avais l'impression d'avoir avec lui des liens de parenté plus anciens que le monde.

Certains de ces êtres étaient inoubliables, et même, d'une certaine façon, tous l'étaient. Pendant un été où j'avais travaillé, avec d'autres garçons de mon âge, dans les champs de fraises de riches fermiers, à peu près sans salaire quand nous avions tous l'espoir, les uns de payer leurs études, les autres, comme moi, de commencer des études musicales (mon père qui ne connaissait rien à la musique sinon les opéras qu'il écoutait à la radio le dimanche avec une rudimentaire passion dont j'étais l'héritier, avait loué un piano, non sans peine, mais pour les leçons, je les payais moi-même), j'avais rencontré Luc, une créature efflanquée, loin de toute beauté, sa tête d'oiseau coiffée de cheveux flous, lesquels volaient comme au-devant de lui-même quand il marchait (mais il ne marchait pas, il courait toujours), un peu maladif, avec son échine courbée, ses longues jambes maigres et ses mains nerveuses, émouvant parce qu'il était l'ambiguïté même, non seulement par les vête-ments audacieux qu'il portait, de couleurs vives, (quand toute notre armée d'ouvriers était uniformé-ment vêtue), mais parce qu'une femme inquiète vivait en lui, une femme oiseau, désireuse d'attirer et de provoquer, mais quand cela lui arrivait, il était sou-dain tout ombragé sous l'éclat de son plumage. C'est qu'il savait qu'on ne l'aimait pas mais qu'on se moquait de lui. Luc n'avait pu rester longtemps par-mi nous, les enfants l'avaient vite assailli et, un matin, me levant de ce champ sans fin où coulaient tant de sueurs, frappé par les raies incalculables de ces grosses fraises sanglantes sous le soleil, je le vis qui partait, sa crête de cheveux au vent, sa main me fai-sant un signe d'adieu. Avec lui, l'esclavage au champ avait été une joie, sans lui, je redevenais un ouvrier parmi tous les autres, un instrument pour enrichir des hommes déjà prospères, récoltant tout le jour des fraises au soleil, nous écorchant les doigts, risquant

l'insolation pour des maîtres invisibles qui nous don-
naient quelques sous dans une enveloppe brune. On
ne les voyait jamais car lorsqu'ils nous remettaient
notre salaire, au bout de la semaine, seuls leurs mous-
taches et leurs doigts noircis de boue apparaissaient
derrière le grillage d'une fenêtre. Mais Luc avait été
là, pour combien de garçons parmi nous, je ne le
savais pas, mais j'osais penser que c'était pour moi
seul, sa sexualité était plutôt innocente, mais il brû-
lait de tendresse, tendresse accusée, quand ce qu'il
aimait le plus, je me souviens, c'était de sentir un
compagnon à ses côtés, mais jamais de feu violent
dans cette tendresse toute effervescente, aussi lyrique
que lui. Le soir venu, je le suivais au vol, comme
dans un enchantement avec lui, une promenade sur
des collines où broutaient un flot disparate de moutons, blancs, beiges et noirs, les plus jeunes appelant
leur mère, ce spectacle m'exaltait de santé et quand
Luc me disait de sa voix aigre: «Saute sur mon dos,
mouton» et que de tout son être étrange, il se mettait
à chanter les quelques airs mozartiens qu'il connaissait, très imparfaitement, d'une voix poignante toujours prête à se briser, j'avais l'impression d'être
emporté par un ange, même si cet ange ressemblait
à un épouvantail et que de sa poitrine montait la voix
d'une lyre dissonante et tordue. Il voulait être chan-
teur mais c'est à un danseur mutilé qu'il me faisait
penser quand il pirouettait dans l'herbe, une herbe si
verte et si souriante que je croyais rêver: car les couleurs, les sons d'un paysage, c'est à travers ses yeux
que je les voyais, muni de son oreille musicienne que

je les entendais. Ainsi, certains verts de l'herbe dans la prairie prenaient, quand il me parlait de ses goûts vestimentaires («Tiens, si nous avions un costume de ce vert étincelant, un chapeau rose comme l'intérieur rose des champignons, une cravate jaune comme le soleil, nous serions semblables aux oiseaux, et comme eux nous pourrions chanter»), disant toujours «nous», évitant le «je» qui faisait de lui un être trop seul, tous ces verts arboraient avec lui une coloration nouvelle et hardie. Paré de l'herbe des champs, de fleurs, il eût vécu heureux, mais partagé entre son désir d'une paix pastorale et cette faille féminine dans son caractère qui le poussait à plaire plus qu'à conquérir, à glisser tout doucement vers de faciles mains qui le déformeraient, je me demandais vers quelle destinée il allait, pendant que sa bizarre silhouette s'effaçait à l'horizon, lui que l'on chassait comme un mauvais pénitent. Qui sait si cette heure de châtiment n'allait pas marquer toute sa vie, tuer en un seul instant l'idéal qu'il avait eu de lui-même? Il oublierait peut-être le gamin qui lui avait craché au visage en l'appelant «fille», celui-ci qui avait voulu l'empoisonner avec un poison pour les rats, il avait déjà derrière lui tout un passé d'injures, oui, il oublierait peut-être en se délectant dans une vision poétique du monde toute dissimulée, mélancolique de ne pas pouvoir la partager mais s'y résignant peu à peu: il était plein d'une pitié douce et n'aimait pas la colère; ou bien, deviendrait-il hargneux, déplorant sa révolte en une vanité agressive?

L'adolescent qui partait ainsi, qui sait s'il ne laissait pas derrière lui pour suivre son chemin d'humiliation (et ce qu'on appelle «la mauvaise voie»), le rêve «le plus transparent du monde» comme il m'avait expliqué, un jour; ce rêve très puéril, croyait-il, c'était le souvenir d'une voix de garçon qu'il avait entendue un jour, dans une chorale d'enfants: «Il devait avoir treize ou quatorze ans, sans doute beaucoup moins, j'étais si heureux que je ne l'ai pas vu, nous ne voyons pas les visages quand nous aimons, nous entendons les voix, c'était dans une église, il y a longtemps, il a chanté ces airs de Mozart que je fredonne tout le temps comme pour le retrouver.»

Si Luc m'avait ému par un élan de sa nostalgique charité (c'était bien un sentiment de charité qui le poussait à s'intéresser à moi car je n'avais l'impression d'exister par moi-même que lorsque quelqu'un m'aimait), la bonté austère, sans ornement, sans même l'appui physique de la tendresse, c'est chez Pierre, l'étudiant en médecine qui offrait gratuitement ses services dans le village perdu, près de notre internat, que je l'avais rencontrée. Il n'avait aucune aspiration religieuse, pas même la foi en ce qu'il faisait, il détestait même nous soigner, car une balafre sur le front, une coupure infectée à la jambe, ces cicatrices de la violence après un combat d'élèves, signifiaient pour lui, plus que la plaie béante à refermer, la chair à guérir, qu'avant de recevoir des coups, nous avions fait du mal à quelqu'un. Aussi accueillait-il Bernard en lui disant:

— À la prochaine bataille avec de plus faibles que vous, je vous laisse crever. Vous oubliez toujours que quelqu'un expie pour vous le mal que vous faites.

Bernard riait, offensé, déchiré entre l'admiration et la haine. Je n'avais qu'à songer à Luc pour comprendre davantage le sens de cette expiation (mais même en le comprenant, j'étais impuissant lorsque je voulais intervenir contre le déroulement de tels sacrifices).

— Avec vous, j'ai l'impression de soigner une génération de monstres. Ce que vous préparez pour l'avenir me fait peur, disait Pierre, avec une sécheresse dont il ne se séparait jamais, sécheresse véhémente dans laquelle sa grande forme osseuse se consumait pourtant à chaque instant, et qui, lorsqu'elle nous côtoyait, nous embrasait d'un feu sans espoir. Les cheveux coupés court, le torse droit dans ses vieux vêtements à l'aspect militaire (je l'avais toujours vu ainsi, s'habillant comme aux dépôts de l'armée), il vivait dans une maison aussi misérable que celle de ses voisins et tous pouvaient venir chez lui, entrer et sortir, comme ils le voulaient.

Il ne saluait personne, parlait peu, soulageait avec une extrême application le groupe de paysans qui s'entassaient chaque jour et chaque nuit dans son bureau sans chaises, très souvent, non pas parce qu'ils étaient souffrants mais parce qu'il faisait bon venir là fumer, bavarder avec quelqu'un qui, en apparence, ne faisait aucune attention à eux, dont le visage fermé, précocement durci se penchait sur la laideur de leurs blessures (comme sur celles de Bernard ou les miennes quand nous nous étions battus) avec un sentiment de honte pour le mal caché, le pus qui se dégageait de ces âmes entremêlées.

— Attention, Monsieur Pierre, vous m'arrachez la peau du genou, vous me faites mal.

Mais lui ripostait au bonhomme dolent qu'il soignait avec douceur:

— Et tout ce gibier que vous avez tué aujourd'hui, vous en avez les mains et les narines encore pleines de sang, vous y pensez parfois? Qu'éprouvaient-ils eux, quand vous leur arrachiez la peau, les intestins, pendant qu'ils vivaient encore?

— Ils ne sentent pas les choses comme nous. Ce n'est que des bêtes. Vous parlez toujours comme un prêtre, vous, ah! celui qui était ici avant vous, il buvait peut-être, mais c'était un joyeux, celui-là!

— Alors pourquoi s'est-il tué sur la route, à l'âge de vingt-trois ans, entraînant avec lui dans sa voiture, sa femme et son fils? Il buvait, il était gai parce qu'il ne pouvait pas supporter la réalité de la misère. Il a perdu la tête, cela peut arriver à tous.

Sans doute était-ce pour ne pas «perdre la tête», «en un pays aride où la souffrance des hommes avait la nudité d'un gros ver bougeant sur le sol», comme il disait, qu'il se nourrissait peu, ne touchait jamais à l'alcool. Il évitait toute question concernant sa vie privée, tout ce que l'on savait de lui, c'est qu'il avait ainsi offert ses services dans d'autres régions de grande pauvreté et qu'il avait l'intention de poursuivre ce travail à l'étranger. Bernard qui repérait vite les siens avec son flair animal avait aussitôt senti la brèche dans la nature de Pierre: avec maladresse, il enfonçait son gros poing dans ce mur lézardé mais solide, mais Pierre répondait calmement à l'indécence de ses invitations, d'un air lointain:

— Il est inutile de vous abaisser devant moi, disait-il.

— Ah! je suis peut-être bas, reprenait Bernard avec provocation, mais j'ai des yeux pour voir. Vous et moi, c'est de la même graine.

— Voyez, je ne vous en empêche pas.

— Vous avez de la chance de vous déguiser comme ça, on ne peut pas tous choisir une vocation aussi élevée, hein?

— Il n'y a pas de vocation élevée. Je vous ai assez vu, partez maintenant et ne revenez plus.

— La différence entre vous et moi, disait Bernard qui s'attardait encore sur le seuil de la porte, le front couvert d'un pansement propre (qu'il arracherait de la blessure ouverte, à la sortie, dans la fureur de son désir déçu) c'est que vous voulez gagner votre vie, et moi la perdre.

— Adieu, dit Pierre, faisant claquer la porte derrière nous et laissant Bernard à sa colère confuse.

— Le salaud, disait Bernard, marchant près de moi dans nos champs de brume familiers, il pourrait être moine avec la ceinture de chasteté et tout que je pourrais tout de suite affirmer qu'il aime les garçons, comme toi et moi. Il a rougi quand je lui ai dit que nous étions pareils, lui et moi, tu as vu? Il a peut-être raison, après tout. On ne peut pas tout choisir. Il vaut mieux faire une seule chose et la faire bien. Tu as vu, ce n'est pas mon sexe tiré en l'air comme un fusil qui lui a fait peur. Il en a vu d'autres. C'est un gars qui a beaucoup voyagé avec son utopie de guérir les pauvres. Il en a embrassé de toutes sortes, il pourrait m'en apprendre. C'est un homme qui a la fièvre, je l'ai aussi mais seulement pour le sexe parce que je n'ai pas envie, comme lui, de la diriger ailleurs. C'est drôle tout ce qu'on peut faire avec une vie humaine, dire que j'aurais pu tourner comme ça, moi aussi, être sensible et intelligent et que je suis trop paresseux et trop sensuel, une bête et comme une bête je ne cherche que ma pâture, tu vois, trop paresseux même pour réussir ma vie. Je coucherai avec les uns et les autres, il faut une race de gens pour ça, c'est une façon d'épurer le monde par le bas; et quand on commence dans cette voie on ne peut plus s'arrêter; quand j'aurai quelqu'un à moi, il m'en faudra un autre et puis un autre. Lui, ce Pierre qui n'est pas plus pur que toi et moi, il domine ses appétits, comme on dit, et surtout il a l'intelligence de se rendre compte que s'il commence à aimer un seul être, il sera pris dans le piège. Il les aimera tous. Ce n'est pas un homme chaste, c'est un homme sage.

C'est lors d'une petite tournée de récitals dans les collèges (organisée par notre vieux professeur de musique de l'internat qui encourageait, comme il le pouvait, les rares élèves qui étudiaient avec lui le piano) que j'avais connu Georges, un commerçant qui jouait auprès de jeunes musiciens un rôle de bienfaiteur et d'ami, rôle si ingrat car le bienfaiteur paraît le rival de l'ami, mais pour moi, la présence de Georges dans ma vie avait été surtout bénéfique car j'avais beaucoup appris à vivre près de cet homme déjà touché par la mort et dont la vie affective ressemblait à un désert incendié. Mais comme quelqu'un qui vous choisit vous sépare fatalement d'un autre pour mieux vous garder, je me séparais de Bernard: nous nous arrachions plutôt des bras l'un de l'autre comme nous nous étions toujours aimés: avec violence. C'est autour de Noël que j'avais rencontré Georges, avec lui qui m'ouvrait les portes du conservatoire, heure que j'avais longuement attendue, nous avions dû nous quitter avant même de passer nos vacances ensemble, Bernard et moi. En cette nuit de Noël où doivent régner dans le rêve des cœurs la paix et la réconciliation, nous nous étions presque tués, Bernard et moi. La fête d'adieu (car il préférait ne plus me revoir depuis que quelqu'un d'autre s'intéressait à moi) qu'il m'avait préparée en cette nuit, avait un faste qui m'inquiétait. Autant Bernard buvait et mangeait en abondance (pour ensuite achever le rite sexuel avec moi) de tout ce qu'il avait pu voler dans les caves pour l'occasion, autant je ne mangeais et ne buvais qu'avec angoisse. Je le sentais plein d'intentions sournoises et de ressentiments:

— Je bois à la santé de l'enfant prodige qui a enfin rencontré le Monsieur au cul d'or! Vive le petit Sébastien, il deviendra grand. Et cette pièce de Schubert que tu disais ne jouer que pour moi, petite vipère, tu l'as jouée pour lui, tes doigts fondant sur les notes comme du beurre! Tu te vends, tu te donnes à un marchand de fourrures, un homme qui va tuer les phoques sur leurs terres sacrées, qui va prendre les loups aux pièges dans le fond des plus belles forêts sauvages, qui brûle leurs territoires, un marchand que Jésus a lui-même chassé du temple. C'est toi la canaille, ce n'est pas celui qui me baise sur la bouche dans une piscine publique! Voilà ce que l'on fait avec le sentiment d'être quelqu'un de délicat, de différent des autres: on se fait reconnaître par un cochon. Tu es reconnu, va lui lécher les pieds et tout ce que tu voudras, maintenant, je te hais. Il a soixante ans, tu pourrais être son nourrisson. Tu me dégoûtes.

Dans son indignation, Bernard touchait à un problème qui me hantait beaucoup, celui de la mendicité, ce «sois reconnu» qu'il me lançait comme une torche enflammée, bouleversait tout mon être. Il ne comprenait donc pas que l'on cherche ailleurs ce que lui refusait de donner?

Certes il m'avait nourri et s'était nourri de moi, mais auprès de lui je n'avais connu que ce droit à la faim, tous les autres besoins, il les avait jalousement piétinés. Il n'avait qu'à me voir, un livre à la main, dans la cour de récréation, pour s'écrier (lui qui disait ne jamais ouvrir un livre, ce qui était faux):

— Tiens, mon petit idiot qui se prend pour un intellectuel. Tu n'auras donc jamais d'humilité! D'ailleurs tu n'es jamais humble sous ton air gentil, comme ça, sauf quand tu m'aimes, alors oui, c'est vrai, tu es vaincu, c'est le seul acte qui te prête un peu d'humilité.

Que je songe à devenir un jour pianiste l'irritait aussi intensément car devant tout royaume personnel qui lui était interdit (c'est-à-dire qu'il s'en interdisait lui-même l'entrée), il trépignait de stérile impatience, se condamnant lui-même. Son extrême violence ne ressemblait pas seulement à un funeste soleil couchant enveloppant dans les ténèbres les joies les plus crédules de sa vie, c'était, par instants, une violence moins exaspérée, perspicace, laquelle, alliée à une sœur plus subtile (son intuition, laquelle n'était pas de notre monde mais du monde animal, inhumaine et surhumaine à la fois, le puits de connaissances où il s'abreuvait), transfigurait le monde et la vie, lorsqu'il était moins menacé et plus maître de son territoire. Ce territoire sur lequel je passais, moi, comme un invité s'identifiant à la faim élémentaire de celui qui me recevait, et où l'intuitive douceur, de façon toujours inattendue, jetait parfois ses rayons, sa chaleur. Car derrière tout ce tumulte, cette exaltation souvent scabreuse, le retenant au bord de ses délires, on eût dit que vivait là, dans cette âme inapprivoisée, un gardien lucide, gardien du corps et de l'esprit de Bernard qui avait la mission de ramener vers la réalité ce dément familier comme un frère. C'était ce gardien ou cette gardienne (peut-être était-ce l'essence d'une âme de bête qui vivait là, dans une si discrète docilité, quand tout le reste, dans l'âme et le corps de Bernard, subissait encore le destin d'une très ancienne bestialité) qui l'avait empêché jusqu'ici de commettre des meurtres, contre lui-même ou contre les autres. Moins robuste que lui, ce n'est pas moi, «la petite ombre infirme», comme il m'appelait, «son petit frère», qui, en me jetant contre ses jambes (comme plus tard, contre les jambes de Lucien) eusse contenu son geste de mourir quand il courait vers la rivière pour se noyer. Le geste venait de plus loin, d'un gardien plein de raison qui l'avait subitement arrêté sur la berge, si bien que, comme un enfant atteint sous le coup d'une gifle paternelle, il interrompait sa course en disant:

— Mais c'est vrai, j'ai le goût du bonheur, il n'y a personne comme moi pour savoir où le trouver. J'ai l'intuition que je pourrais encore être heureux.

— Alors pourquoi me fais-tu peur?

— Parce qu'il faut bien que tu sois là, que tu me trouves en train de mourir sur le rivage. Tu es né pour ça.

Et n'ayant pas cédé à la tentation, il recouvrait son calme, ses larmes (que je croyais celles d'un adulte, ce qu'il n'était pas) séchaient sur sa joue pendant que je lui caressais les mains pour l'apaiser.

Le meurtre qui n'avait pas été commis, grâce à l'intervention du gardien amoureux de la vie, sans doute encore, c'est la nuit de Noël que nous aurions pu l'accomplir, pendant que Bernard voyait dériver son existence loin de la mienne. Aux yeux de Bernard, cet amour de collège était éternel, il n'aurait de fin qu'avec la mort. Ce qu'il me disait, au fond, cette nuit-là, c'était sa déception de me voir vivre ma propre vie et non plus la sienne. Plutôt que de me voir songer à des études, à une vie plus disciplinée, non au vide vers lequel il m'entraînait, il eût aimé poursuivre avec moi cette torturante promenade, me voir errer sans but autour de lui dans son auréole de feu et de désir. «Tu m'abandonnes, je vais retourner à mes vices et vivre sans témoin»; soudain, je le comprenais, j'avais été le témoin de sa conscience, son «jeune bâton de vieillesse», et vivre sans témoin, même de ces actes qui lui répugnaient quand je l'accompagnais à la piscine, par exemple, vivre donc sans quelqu'un qui s'intéresse passionnément à vous au point d'en souffrir sans cesse, c'était en quelque sorte tomber dans une solitude glaciale, ne plus vivre comme avant.

— Non, je ne veux plus voir ce que j'ai vu à la piscine, je ne veux pas que tu en embrasses d'autres sous mes yeux, comme tu as fait tout ce temps, je ne veux pas vivre comme tu me le demandes.

— Et pourquoi pas? C'est une vie comme une autre. Tu as ta place dans ma vie, tu étouffes le mal comme une couverture sur le feu et, surtout avec toi, je fais moins de bêtises. Tu ne pourras jamais sauver les âmes si tu ne restes pas avec moi.

— Je ne veux pas sauver les âmes.

— Tu ne peux sauver personne parce que tu es un mendiant, tu veux être aimé pour toi-même, pour tes qualités. Quand tu ne seras plus un mendiant, tu seras capable de nourrir. Tu es fait pour ça. Pour rien d'autre. Avec moi c'est ce que tu avais à faire et tu l'as fait. Il y a un être en moi que tu as volontairement raté parce que tu me quittes pour vivre ta vie.

— Ce n'est pas vrai. Tu sais bien que je t'aimerai toujours.

— Quand on aime, on supporte tout et tu as beaucoup supporté mais pas assez. J'imagine que nous sommes tous conçus par nos parents pour devenir des gens normaux qui vont de la vie à la mort les yeux fermés. Il y en a qui, comme nous, s'arrêtent en route parce qu'ils ont faim, parce qu'ils ont soif, et d'autres qui vont aveuglément sur leur chemin étroit ne les voient pas plus que des mouches dans le ciel. C'est naturel, les uns marchent vers leurs satisfactions, et les autres s'arrêtent parce que la faim est une angoisse, la fatigue aussi, tout ce qui vous pousse à la réflexion. Moi je suis né grand et fort, tout fait, quoi, comme un géant, les autres étaient tout petits que je les écrasais déjà de ma force et d'une intelligence qui ne faisait de bien à personne; à l'âge où les enfants boivent au sein de leur mère, si l'on veut, j'allais vers le désir des hommes, c'était comme un soleil dans ma vie sans but; quand je t'ai connu tu n'étais peut-être qu'un gamin, un agneau à élever, pour moi, mais avec toi j'avais l'impression que c'était moi le petit et toi le grand et tu me faisais naître et j'aimais bien que tu me berces un peu. Voilà ce que tu n'as pas compris pendant toute cette histoire. Je t'ai trop demandé, c'est le drame, mais je te le répète, tu ne devrais pas me quitter.

— J'ai ma vie à moi, Bernard.

— Ta vie à toi! Tu n'as qu'à penser que ta vocation ce n'est pas de vivre pour toi-même. Pourquoi vas-tu mendier chez ce Georges ce qu'il ne pourra pas te donner? Tu n'es pas fait pour être dorloté, ça ne marchera pas. Tu ne sais pas ce que c'est que la vie, sur cette route brûlante ou glacée, c'est la même chose, où on nous a tous jetés les uns sur les autres comme des branches dans un brasier difforme; beaucoup d'entre nous n'ont aucune écorce, aucun vêtement pour vivre sur la cendre ou dans le froid, nous devons tout mendier. La peau sur les os, nous la mendions comme le pain de chaque jour. C'est une affaire affreuse et c'est le plaisir que prennent l'un avec l'autre un homme et une femme qui nous ont réduits à cela. Nous excusons l'homme et la femme parce que nous sommes pareils à eux, nous avons hérité de leur condition de mendicité. Ce n'est pas l'argent ni le talent qui t'enlèveront cet état minable, tu l'as avec toi, en toi, il faut maintenant que tu me quittes pour tomber encore plus bas, j'étais ton frère, ta nourriture, mais avec cet homme, tu seras le fils inconnu, l'orphelin qui va chercher les miettes sous la table pendant que les vrais fils et l'épouse torturent leur nourriture abondante, dans leur assiette, comme d'autres torturent les animaux, par oisiveté. Tu comprends un peu ce que tout cela veut dire?

— Non.

— Je te vois marcher vers tous ces dangers avec une bêtise effroyable. Tu m'as bercé, oui, mais sans me faire naître: j'étais un animal, rien d'autre, tu avais la clef pour me faire revenir au monde humain, tu as refusé de le faire. Mais tant pis, je suis ce que je suis jusqu'à l'agonie. Pourquoi ai-je cru en la délivrance apportée par un cœur tel que le tien? Tu me le fais payer maintenant. Tu crois peut-être que le bienfaiteur va t'accueillir tout gratuitement, te faire entrer d'un seul bond dans le monde des adultes, des musiciens qui ont une vocation en ce monde, hein?

— Oui, je le crois.

— Imbécile, la vie n'est pas faite de cette noble matière, autrement nous serions tous des saints et non des mendiants. Sors de tes rêves, enfin. Tu es sans doute un peu doué puisque le professeur de piano le dit, mais autrement, tu n'as rien, pas même le droit à la vie, pas même une maison car tes parents ne peuvent pas nourrir tous leurs enfants, bien qu'ils t'aiment, dis-tu. Alors, ce bon monsieur qui protège les talents juvéniles, comme le tien, tu crois qu'il ne te demandera pas de coucher avec lui de temps en temps? Enfin, je sais que tu es loin d'être vierge mais est-ce que tu acceptes de n'être pour un autre qu'une occasion de viol, qu'un prostitué, le fils peut-être, mais dont on cache la condition de prostitué parce qu'on a honte?

— Laisse-moi partir.

— Pars! Pauvre petit, je ne demande que cela. Tu seras seul toute ton existence. Il vaut mieux vivre avec un fou comme moi qu'avec une âme médiocre et c'est vers la médiocrité que tu cours. Je suis quand même ton aîné et j'ai eu des aventures avec des hommes comme ton Georges, je vais te raconter comment ça se passe, c'est la solitude de l'animal domestique, ce n'est pas la tienne avec moi, maintenant, c'est vrai, je ne suis pas bon avec toi, je suis moi-même sans aucune politesse et j'avoue que ce n'est pas toujours beau. Mais tu as l'habitude, tu peux toujours trouver l'oreiller grossier où poser ta tête, mais avec ton bienfaiteur, tu verras, ce sera tout de suite une relation d'étranger à étranger. Tu seras sa chose, son enfant, son bien, malgré tout, et tu seras séparé de tout malaise dans le monde. Tu pourras te dire en avalant ton dîner: «Autrefois, je n'étais qu'un cireur de chaussures, pendant les vacances, un commis dans un magasin»; peu à peu, tu oublieras tes frères, à la maison. Tu seras content, jeune animal domestiqué par le papa inconnu, tu seras premier prix de piano et tout ce que l'on veut. J'ai connu un type arrogant comme ton Georges. Sais-tu ce qu'il faisait? Il venait me voir le dimanche, après la messe, après avoir juste assez forniqué avec sa femme, il avait des fils mignons comme des veaux dans un pré, une fille qu'il voulait marier. Et de l'argent qu'il me donnait quand je faisais bien l'amour, quand j'arrivais à bien épouser tout son ennui et tout son dégoût du monde, tu vois ça, j'avais convoité une pareille chose comme une malédiction et quand ça m'est arrivé, j'ai eu de la peine pour le pauvre homme, parce que c'était moi le voleur et lui il avait beau vouloir m'acheter il n'achetait toujours pas le mystère d'un être, il n'achetait qu'une médiocrité de voyou semblable à la sienne. Je n'apporte rien aux autres sinon une déception qui les marque, j'ai souvent réfléchi à ce sujet, j'ai déçu pour ne pas tuer. Cela revient peut-être au même. Mais cette homme, je le voyais se ruiner pour moi avec une tristesse épouvantable, plus il était désireux de me faire oublier que je n'étais qu'un chien couché sur son tapis, qu'une marchandise à palper, plus je devenais odieux. Avec lui, l'humilité me dévorait vivant; il n'avait qu'à me dire: «Voici quelques sous pour acheter ton paquet de cigarettes du dimanche» pour que je sente monter en moi la fièvre de l'humilité. Je l'accompagnais en voyage, j'étais son ombre lubrique, il faisait de moi tout ce qui lui plaisait, dans les trains de nuit ou ailleurs, j'étais son terrain d'expériences, j'osais sans effort, sans morale tout ce qu'il n'avait pas osé faire dans sa vie, coucher avec des femmes sous ses yeux, un jouet sexuel pour un adulte cultivé et un peu de tendresse pour consoler le gros ourson que j'étais. Il disait aux autres que j'étais un délinquant qu'il voulait sauver de la prison, et pourquoi pas, c'était la vérité, j'avais déjà été arrêté, enfant, pour plusieurs tentatives de vol. Je ne le juge pas: il avait raison de se servir de moi, pour une fois dans ma vie, je pouvais servir, qui sait, à la rédemption de tous les vices impunis d'une vie? Mais ce qui est grave, c'est que cela ne le sauvait pas. Il ne devenait pas moins médiocre: il restait le même. Et moi, moi aussi, sauf que ma mendicité était de plus en plus dégradante. Je n'étais pas plus gros, malgré ma taille, qu'un pou sous une botte. Et puis un jour, comme j'étais avec lui dans un hôtel luxueux et que nous avions mangé tous les deux comme une dizaine de personnes et bu comme des porcs, je l'entendis qui me dit à l'oreille de cette voix hypocrite: «Tu montes à notre chambre?» et encore une fois cette question: «Dis, tu montes?» et alors j'eus comme une vision de tous ceux qui nous entouraient,

des centaines d'affamés autour des tables de ce restaurant, des affamés avec de l'or partout, s'amusant
avec la mangeaille, la torturant, oui, parce qu'ils
avaient faim, les salauds, de plus d'or, de femmes,
d'alcool, mais des affamés d'un ordre inférieur, man-
geant sans faim, crachant sur le pain de Dieu. Tu te
rappelles, ce pain que nous allions chercher dans les
poubelles, nous? Ils vomissaient dessus! Et moi aussi
j'avais envie de vomir sur eux mais à quoi bon? Et
les petits enfants que Jésus dit tant aimer, ils étaient
là aussi, criminels comme leurs parents, jouant avec
leurs gâteaux dans leurs assiettes, léchant leurs glaces
dans une monstruosité exquise! Quel écœurement tout
ça! Et en me levant pour suivre mon ivrogne de bienfaiteur jusqu'à la chambre nuptiale, je ne demandais
pas mieux, tu sais, c'était la première fois que j'étais
à ce point l'objet de quelqu'un, ça m'excitait, j'ai eu
aussi une autre vision, une esquisse de ma vie d'enfant: un terrain vague peuplé d'enfants qui jouaient,
parmi les ordures et les déjections, avec des cerceaux
de fer, et parmi eux, agenouillé dans un coin, soli-
taire, un garçon qui se soulagerait dans une position
où toute l'humiliation du monde semblait se soulager
avec lui. Je ne sais pas pourquoi, mais cette pensée
si basse, si excrémentielle qu'elle fût, me fit plus de
bien que toute la générosité de mon bienfaiteur envers
moi. Mais assez de ma vie, tu veux partir, pars! J'en
ai assez dit. Viens m'embrasser pour la dernière fois
et nous n'en parlerons plus.

Même si Bernard me serrait dans ses bras en disant: «Que nous sommes bien, nous aurons tout de même eu beaucoup de volupté ensemble, dis?» ses paroles m'avaient trop ému et je ne pouvais plus me réjouir auprès de lui. Je le revoyais courant avec moi les jours de pluie, et tout le bonheur que nous avions pu échanger, parce qu'il ne reviendrait plus, m'attristait soudain profondément.

— Mais souris, voyons, puisque tu ne tiens pas à moi! Bientôt ce sera l'aube, nous ferons comme l'an dernier. Nous irons sur la rivière en traîneau. Viens, habille-toi, les gens sont trop fragiles quand ils sont nus... Mais je retrouvais à l'aube non plus l'ami mais le traître involontaire, car celui qui poussait mon traîn025cau vers une fissure au milieu de la rivière (fissure qu'il voyait bien puisqu'il me dit: «Tiens, j'ai envie de te voir tomber là-dedans, que ferais-tu? Tu me serais complètement livré, hein?») était pourtant le même qui m'avait appelé «petit frère» toute la nuit et qui avait baisé mes yeux et mes lèvres, «comme une femme», avait-il dit d'un air narquois (car il ne pouvait supporter qu'il y eût quelque chose de féminin dans sa tendresse)... Maintenant j'avais en face de moi un loup dont le plainte sifflait à mes tempes comme un ricanement de méchanceté.

— Tu veux me tuer?

— Moi?

Il y eut un moment où couchés l'un contre l'autre sur le fin lit de glace et de neige, tout près du trou où, dans l'eau froide et noire, nos vies en risquaient de s'enfuir sans bruit, sans témoin, où je sentis que si je refusais de lutter, Bernard céderait à la tentation. «Je veux nous tuer, ainsi ce sera fini», répétait-il, et son haleine touchait ma joue, ses yeux vitreux ne paraissaient pas me voir, je ne sus combien de temps passa ainsi, entre cette soif d'extinction et la lutte pour vivre. Soudain, Bernard dénoua son étreinte, il me remit sur mon traîneau comme un paquet de linge, et me poussant vers l'autre côté de la rivière, il me dit en riant:

— Je te laisse une chance! Tu n'as rien à craindre, tu as traversé la rivière, tu as vaincu la fissure, tu peux être humilié à ton tour maintenant.

Et il est vrai que, sans le savoir, j'allais vers une plus grande mendicité. Quant à la «fissure», Bernard se trompait, je ne l'avais pas vaincue, chez Georges elle m'apparut aussitôt de façon tragique. À cet âge, et encore maintenant, ce qui me liait aux hommes, c'était cette faille en eux appelant une commisération sensuelle (dont j'avais moi-même un ardent besoin) et vers laquelle je tendais irrésistiblement, pour eux comme pour moi-même. Je me sentais né pour cette forme d'amour seulement et je savais ne pas me tromper dans ce choix. Chez Georges, la faille n'était pas d'aimer les jeunes garçons comme il s'en accusait lui-même durement, mais d'avoir honte de les aimer.

«Je te laisse entrer dans ma vie parce que la mort approche; mais si j'ai désiré beaucoup de garçons, tu es le seul à qui je cède. Tous les autres musiciens que j'ai aidés, je n'ai pas eu le courage de vivre avec eux. Toi, je te prends parce que j'ai peur et je sais que ma femme et mes enfants sont trop occupés par leur vie pour assister un mourant comme moi.»

Ainsi me parlait-il quand nous dînions ensemble dans des restaurants fastueux mais tristes qu'il avait la prudence, comme le ferait aussi Lucien, d'élire un peu à l'écart de la ville afin de ne pas être trop vu avec moi. Toujours élégant, corpulent sans être disgracieux (cette corpulence étant prononcée en hiver par des manteaux de fourrure dans lesquels il se drapait avec une magnificence cléricale), il semblait éclater de santé et seules les palpitations de son cœur qu'il comptait comme ses plaisirs (qu'il espaçait complètement à la fin, dans sa crainte) rappelaient à cet homme qu'il avait plus de liens avec la mort qu'avec la vie dont il était, quand on le voyait dans son bureau ou à une réunion mondaine, une expression si débonnaire. Après le dîner, il me ramenait à la pension de famille où je vivais pendant la semaine, évitant de m'embrasser dans sa voiture avant de me quitter.

— Je t'aime, mais que dirait ma femme si elle me voyait? Et les petites? Pour les fils, j'ai l'impression que Jean a déjà compris, mais je tremble pour eux s'ils découvraient.

— Pourquoi ne dites-vous pas la vérité?

— Tu es fou, mon garçon, je ne peux pas. C'est incompréhensible, surtout pour des femmes car elles sont plus cruelles dans leurs jugements que les hommes entre eux, c'est incompréhensible qu'un vieil homme comme moi s'intéresse charnellement à un gamin comme toi. C'est un sacrilège de toutes les lois morales. C'est un crime social, tu sembles l'oublier. Tu es le premier qui ne me traite pas comme un criminel, c'est curieux, je ne m'y habitue pas.

— Mais vous n'êtes pas un criminel!

— C'est ce que tu dis, toi, mais pas les autres. Enfin, j'ai eu un peu de courage, je t'ai accepté, toi. C'est un courage qui ne dure pas, je retombe vite dans mes faiblesses. J'ai eu une si longue habitude de me cacher, si tu savais, je désirais toujours les enfants à la dérobée, je dis les enfants et ils étaient déjà grands, très frémissants déjà, tu sais très bien toi qu'il n'y a pas de virginité enfantine, que c'est même une époque de volupté extraordinaire, oui j'étais torturé des nuits entières par un visage, par le sourire d'un adolescent que je n'avais fait souvent qu'apercevoir, et dans ma vie il n'y aura eu que toi, et tous les autres je les aurai volontairement perdus. Ne m'imite jamais, rien n'est plus terrible qu'une vie qui s'écroule ainsi dans le regret.

Quand Georges avait soudain l'âme remuée par un besoin de vérité, il me disait avec enthousiasme:

— Tu as raison, mon garçon, les choses devraient se passer plus naturellement, tu as beaucoup travaillé, cette semaine, pourquoi n'allons-nous pas ensemble à la campagne, je te présenterai à ma femme et aux enfants, ils seront libres de penser ce qu'ils voudront, mais il faut soigner ton apparence, cela compte beaucoup pour eux.

Près de Bernard, je vivais en haillons et c'est contre la nudité de Bernard que je me sentais le mieux vêtu; ici, tout était bien différent. Georges m'habillait plus souvent qu'il ne me dénudait et l'immodestie allègre dans laquelle j'avais longtemps vécu aux côtés de Bernard (en gestes comme en paroles) heurtait Georges à chaque instant. À la vue des splendides manteaux de fourrure de mon ami, je lui disais (croyant encore parler à Bernard): «Pourquoi ne pas faire l'amour là-dessus?» Et Georges s'empressait de répondre: «Taisez-vous, vous êtes vulgaire, je me demande parfois de quel endroit vous sortez, vous n'êtes pas du tout bien élevé comme les autres garçons que j'ai aidés.»

Et plus sèchement:

— Attention, il y a des choses que je ne tolère pas. Ce n'est pas parce que je te prends dans mon lit que tout est permis. Si tu étais mon fils, cela ne se passerait pas ainsi.

Auprès de Georges comme auprès de Lucien, l'accomplissement de l'action amoureuse, ce sillon qui s'ouvrait dans leur conscience, me paraissait un désastre. N'était-ce pas cette conscience agitée qui leur imposait de corriger en pères ce qu'ils chérissaient en amants, de vous retirer sans cesse de la bouche le pain qu'ils venaient de vous offrir? Ainsi, je rentrais dans la famille de Georges comme un invité courtoisement reçu dont on préfère ne pas connaître le passé.

— Il est gentil, ton petit protégé, dit la femme de Georges, à la fois altière et bienveillante, pourquoi ne pas l'avoir amené plus tôt?

— Encore un autre, dit Jean, l'un des fils de Georges qui vint se mettre en face de moi pour mieux me regarder; il se tenait là, les bras croisés avec non-chalance, me scrutant du regard comme un objet de qualité moyenne:

— Ce n'est pas avec toi, déclara-t-il en soupi-rant, que j'irai demain à l'aube à la chasse aux canards. Tu n'aimes pas le sang, hein? Tu préfères écouter des disques avec mon père. C'est un homme qui aime beaucoup la musique.

Je n'aimais de ce Jean ni le sourire sombre ni la lèvre retroussée, cette bouche toujours prête à calomnier m'inspirait même de la peur, mais comme je pressentais que Georges aimait ce fils plus que les autres, je feignais de l'aimer moi aussi. Pendant que Jean allait à cheval, le dimanche («ce qu'il fait si bien, comme tout ce qu'il entreprend, c'est un enfant si sensible», disait Georges), je passais tout le jour dans un fauteuil près de Georges qui dormait en écou-tant des opéras. De le surprendre à dormir ainsi, le veston ouvert, le menton contre la poitrine, pendant que glissait sur ce sommeil sans fantaisie, sur ce rocher de fatigue et d'ennui, une musique si belle qui eût fait sangloter Luc de bonheur, il paraissait étrange d'imaginer qu'il y avait là, sous cet homme ployé contre lui-même et soucieux, un homme capable de m'aimer «avec courage et contre tous ses principes», comme il me l'avait expliqué. On eût dit qu'il n'y avait personne, que cet homme ne me connaissait pas, m'avait connu par accident et aussitôt oublié. Je

voyais de l'autre côté des portes vitrées un parc merveilleux où nous n'allions presque jamais, tant les
êtres, quand ils ont tout et n'éprouvent plus aucune
privation, ne voient plus les beautés qui les entou-
rent, et abandonnant Georges à son repos (un repos
qui m'inquiétait, un repos de malade, haletant, envahi
de fantômes...) je m'élançais vers cette étendue
d'herbe ensoleillé, laquelle, comme la musique de
Mozart que j'avais écoutée en présence de Georges
(assoupi, écrasé, comme sous le coup d'une ombre
torride), évoquait pour moi, hélas, tout ce que
Georges n'avait jamais eu, n'aurait jamais, le rayonnement d'un amour, son cri de joie, le souvenir de
Luc roulant dans l'herbe le long des falaises où jamais
je n'avais vu autant de moutons... Je n'étais plus sur
les épaules de Luc, je n'avais de lui désormais que
des images et je m'enfermais avec Georges dans un
tout autre destin, un destin où l'on ne riait plus, ne
chantait plus, oui c'était bien cela, me disais-je,
Georges et moi, Georges parce qu'il avait honte
d'aimer ceux-là seuls qu'il aimait, et moi parce que
j'étais pauvre, nous étions tous les deux nus face à
la richesse, le parc splendide à l'herbe rase qui
s'élevait devant nous n'était qu'une illusion, nous
n'étions lui et moi, dans la maison «honnête» de sa
femme, et moi, dans la maison «fantasmatique» de
Georges, ce père irréel (car il n'avait qu'un fils aimé
et c'était son fils Jean), nous n'étions l'un et l'autre
que des invités. Moi, l'invité dont on parlait sans
cesse, et lui, celui que l'on ne nommait pas.

— Où l'avez-vous donc trouvé, papa, il a l'air de comprendre tellement de choses pour son âge, demandait Jean, dans une candeur que je n'aimais pas.

— Tu sais que j'aime encourager les jeunes, mon fils. Ce garçon n'a pas eu de chance. Je veux l'aider.

— Méfiez-vous de lui. Il a la tête de quelqu'un qu'on a fouetté avec des chaînes et qui ne se défend pas. Il faut se défendre dans la vie.

Oui, je n'étais qu'un invité, qu'un «Il» pour Georges, quand il parlait à ce fils qu'il redoutait et adorait à la fois, un personnage fait de lambeaux rôdant dans la noble maison comme un ennemi, je menaçais la quiétude de chacun, celle de la femme, de ses enfants cajolés à qui elle se dévouait «comme une sainte», disait Georges, j'avais pris la forme d'une chose que Georges n'aimait pas en lui-même, j'étais son immoralité, son vice muet, le dépositaire dont tous s'éloignaient. Comment oublier que Georges se jugeait implacablement à travers tous les actes qu'il exigeait de moi? La voix de ce procès ne pénétrait-elle pas sans cesse mon oreille? «Que dirait ma femme, que diraient mes secrétaires si elles nous voyaient ainsi ensemble?» Nous n'étions jamais seuls l'un avec l'autre dans un lit, quelque témoin nous guettait toujours dans l'ombre.

— Je n'ai jamais eu un ami, pardonne-moi de tant te parler de mes inquiétudes, disait-il, en me caressant la nuque, tentant d'apprivoiser en moi le mal et l'amour qu'il en attendait, on dirait que je ne t'ai rencontré que pour t'avouer toutes mes peurs, avoir honte du bonheur que je prends avec toi et mourir. J'ai toujours fui la franchise, et avant de te connaître, je savais mentir comme beaucoup d'hommes de ma race, tu ne peux pas comprendre car, aux yeux de la société, tu n'es pas un compagnon, ni un ami, mais un être sacrifié. Si plus tard tu tournais ta soif vers des hommes plus jeunes que toi, tu deviendrais à ton tour un corrupteur, alors tu comprendrais la douleur de ces êtres accablés d'une réputation si malfaisante qu'elle les conduit parfois en prison, qu'elle les pousse au suicide. Je suis très fortuné et en même temps un voyou peut me cracher au visage, ma femme et mes enfants peuvent me flageller comme le dernier des hommes. Je tremble dans ma propre maison, je rentre chaque matin à mon bureau en me disant qu'une médisance pourrait incendier ma manufacture, toi qui aimes dans la santé, tu ne peux savoir combien l'amour contenu, toujours menacé d'expulsion, condamné de toutes parts devient une dépravation incurable! C'est cela, tu sais, qui m'a tué lentement. Je ne commettais aucune de ces actions que nous commettons ensemble maintenant, toi et moi, et pourtant j'étais tout aussi coupable. Un jour, j'accompagnais mon fils Jean chez le dentiste, je portais peut-être un habit trop efféminé (et pourtant je fais très attention, mon hypocrisie allant même jusqu'à choisir le commerce des fourrures pour une sorte d'apparence virile), une bande de garçons défilant sur le trottoir nous côtoya rudement et l'un d'eux, qui avait une forte mâchoire et un visage d'une insipide grossièreté, se tourna vers moi et me dit devant mon fils: «Pédéraste!» Je dus arracher Jean des bras de son ennemi qu'il voulait frapper jusqu'à la mort. Jean avait quatorze ou quinze ans à l'époque et nous n'avons jamais reparlé de cet incident, mais je me souviens que dès ce jour-là, il refusa de sortir avec moi, peut-être pour m'épargner la gêne de ce souvenir; il y a parfois des élans de compassion chez les jeunes gens, autrement je ne les rechercherais pas tant. Une vertu qui précède l'âge d'homme et ses vanités. C'est souvent à cause d'un souvenir particulièrement mortifiant que l'on cherche davantage le pardon que l'amour. Toi, tu viens trop tard dans une vie qui s'achève. J'ai trop longtemps vécu dans le mensonge, choisir la vérité, maintenant, ce serait consentir au suicide. Comme ma femme (sauf qu'elle n'a rien à cacher), je m'occupais beaucoup de causes sociales, j'allégeais ma conscience en partageant ma fortune, je me gardais un petit royaume bien à moi: les jeunes musiciens à guider, à protéger. La contemplation de mon seul paradis. Et peu à peu, il entrait dans ma contemplation une certitude orgueilleuse, enfin j'avais traversé ma vie sans avoir pris un seul de ces corps délicieux entre mes bras. Cette chasteté m'enivrait. J'étais tout ce que je devais être pour être accepté par la communauté humaine: un mari fidèle, un père attentif, mes enfants étudiaient dans les meilleures écoles et obtenaient les meilleurs résultats, enfin, j'attendais la mort sereinement car j'avais commencé à souffrir d'une maladie cardiaque. Qu'elle vienne vite, la mort, me disais-je, qu'elle vienne enfin et me délivre! Et un jour, comme j'assistais avec ennui à la performance d'un groupe d'écoliers dont le chef d'orchestre qui ressemblait à un scout n'avait pas plus de 16 ans, je vis, parmi eux, au fond d'une rangée, un violoncelliste d'une douzaine d'années, peut-être, lui si délicat tenait contre sa poitrine et entre ses jambes cet instrument grave qui semblait deux fois plus lourd que lui; ce qui me fit frémir, c'est l'expression extatique qui traversait ce petit visage rose et blanc, ce visage révélait un tel plaisir amoureux, un plaisir si charmant, que j'avais l'impression de devenir celui qu'il embrassait ainsi avec piété, tout en jouant, tout en caressant. Était-ce cela, cette vision angélique, le crime tant redouté? Non, cet être en posant contre ma joue sa chevelure parfumée, en se blotissant contre moi, en étirant sur mes genoux ses jambes agiles, eût fait descendre en moi toute la paix du ciel. Il était la prophétie, cet enfant, que la vie ne pouvait s'achever dans le mensonge, et je t'ai rencontré, tu n'étais pas beau comme ce garçon mais je sentais en toi la même ferveur, et maintenant tu me demandes d'affirmer que je t'aime, de dire honnêtement qui je suis, et moi, je sais que je ne pourrai jamais. Parce qu'il est trop tard. Les hommes que j'ai fréquentés se cachaient toujours à eux-mêmes cette vérité qui te semble si naturelle parce que tu ne connais pas la honte. N'ayant rien, tu n'as donc rien à perdre, mais à soixante ans, on a déjà beaucoup acquis, on ne peut plus se dépouiller d'un certain confort de vivre, et une réputation qui saigne, tu ignores cela, toi, répand ton sang sur les autres, la femme, la famille qu'elle représente, enfin, c'est toute la forteresse familiale et sociale qui risque de s'écrouler. Ainsi, ne t'étonne pas de rencontrer plus tard des hommes qui, comme moi, pensent d'abord à eux-mêmes, à recouvrir sous toutes sortes de formes, à déguiser même sur le plan de la spiritualité la plus désintéressée ce qui se passe à un niveau beaucoup plus bas. J'ai connu des hommes de ma caste qui ressemblaient à des directeurs spirituels, je les ai beaucoup fréquentés car, avec eux, on peut connaître beaucoup de garçons et être toujours à l'abri, ce sont des hommes de principes, ils ne touchent jamais à ceux qu'ils aiment, ils ont renoncé, et dans cette illusion monastique ils aiment sans aimer, en imagination, en rêve qui se méfie comme de la peste de la réalité de leur amour sensuel. Comme moi, ils guidaient leurs brebis, donnant de bons conseils, comme des prêtres, et convoitaient sans jamais prendre. À force de fabriquer leur innocence sociale, ils imposaient. L'un parlait devant tout le monde de son neveu, l'autre, de son secrétaire, l'élu de cet apostolat homosexuel pouvait se présenter partout, on oubliait sa présence. Il est étrange qu'un amour empreint d'une telle mélancolie secrète se trahisse soudain par un signe, un geste trop appuyé. Le regard qui enveloppe celui qui est si bien protégé brûle comme la flamme, la voix paternelle qui dit: «Mon petit» sort comme un gémissement, parce que mentir, même pour de bonnes raisons, c'est se faire du mal. Mais à quoi penses-tu, tu as l'air distrait, tu ne m'écoutes donc pas, toi aussi?

— Oui, je vous écoute, mais je pensais aussi à autre chose.

— On parle toujours trop de soi-même à ceux qui ne vous comprennent pas, répliqua-t-il amèrement, en marchant vers la fenêtre (car il me recevait dans sa chambre, à la campagne, pendant que sa femme et ses enfants étaient à la ville). Je le voyais, du fond du lit où j'étais encore allongé et dans lequel il m'avait demandé où j'avais appris «des caresses qui ne sont permises qu'entre un homme et une femme mariés», longeant la fenêtre avec lassitude tout en cherchant sa pipe (il avait la malhonnête habitude, lorsqu'il avait perdu un objet cher, de me regarder soupçonneusement en disant: «Après tout, tu égares tout ce que je te donne, tu ne connais pas la valeur de l'argent», ce qui voulait dire dans son langage: «Je ne sais pas qui tu es, tu as un passé que je n'aime pas, tu étais peut-être un voleur autrefois, je dois me méfier de cet étranger dans ma maison»), et une telle nostalgie de Bernard, de sa barbarie miséricordieuse me prenait que je m'enfonçais dans les couvertures pour cacher mes larmes. Bernard n'avait jamais été aimable, et pourtant je l'avais tant aimé.

— Alors, mon garçon, tu te caches maintenant?

J'étais dans un tel désarroi que je me jetais au cou de Georges en lui disant:

— Vous le savez bien, personne ne m'accepte ici, ni votre femme, ni votre fils Jean, ni vous-même.

— Ne t'ai-je pas donné la preuve que je t'aimais? Je t'ai acheté de beaux vêtements, je t'ai traité comme l'un des miens. Et enfin, tu peux étudier
le piano, que veux-tu de plus?

— Vous me jugez, vous m'aimez mais vous me
jugez, je le sens.

— Je suis un vieil homme, j'ai des habitudes
sournoises, je te demande de ne pas faire attention à
ces détails. Pour te dire la vérité, mon garçon, je t'embrasse et je caresse ton corps en pensant que tu es
mon corrupteur.

Voilà ce que j'avais senti tout ce temps, près de
Georges, dans cette chambre ou ailleurs (car il nous
arrivait la nuit d'arrêter debout derrière un arbre, ce
qui m'humiliait beaucoup, quand ces mêmes gestes,
si je les avais faits avec Bernard dans ces bosquets
que nous aimions et auxquels nous travaillions
comme à des nids, choisissant, ici, la verdure la plus
douce, là, le silence le plus recueilli, ces gestes, avec
Bernard, je les aurais vécus très simplement: avec
Georges, j'étais terrifié, je participais à une faute) oui,
près de Georges qui défendait habilement les
confrères accusés, ceux qu'il appelait «les corrup-
teurs», pour se déchirer davantage, je n'étais pas la
victime comme il avait dit pendant ses confidences,
j'étais le corrupteur. Ce rôle m'apparaissait si claire-
ment que j'avais envie de quitter Georges. Pour sortir d'une accusation si longue et si atroce, ne fallait-il
pas transformer son hôte en un être perverti, dangereux? N'était-ce pas là tout ce que je lui apportais?

— Je te demande la guérison d'un trop grand mal, je sais. Mais à ton âge, il est plus facile d'avoir pitié. Le besoin d'aimer vient de naître en toi, ce n'est pas comme moi, ne comprends-tu pas?

Georges se penchait vers moi et essayait de m'apaiser mais, tout en répondant à son attention, je pensais à son fils Jean, qui, quelques jours plus tôt, avait fait son apparition de cavalier superbe dans le parc où je jouais avec les chiens et les chats, jouant, moi, le fils invité, le fils galeux dans mes vêtements neufs, mais n'étant pour ce fils authentique qui me regardait du haut de son cheval, que cela, «le vice du père», une déchéance que le véritable fils avait le devoir de protéger car il me dit avec un regard plein d'animosité (le fils qui selon Georges avait «des élans de pitié»): «Ne fatiguez pas mon père, il a le cœur très faible, vous pourriez le tuer!»

Et s'en allant ensuite comme il était venu, il me laissa, si je puis dire, la peau corruptrice d'un père qu'il venait de châtier sur moi, sans aucun geste cruel, avec des paroles que l'on pourrait qualifier, en songeant au père, de «charitables».

— Oui, à quoi penses-tu donc?

— À votre fils.

— Ne parle pas de ma famille, tu n'as pas le droit. Il y a des choses qui ne te concernent pas. (Et plus doucement:) Tiens, j'ai trouvé ma pipe, je pensais que tu me l'avais encore perdue. J'ai tort, tu es un enfant intègre, je voudrais vivre plus longtemps et prendre longtemps soin de toi.

Mais de nouveau révolté, je me levai, sortis de ce lit où j'avais été trompé, croyais-je, et je lui dis en prenant mes vêtements sur la chaise:

— Je ne peux pas rester ici.

— Pourquoi?

— Je ne veux plus de votre charité.

— Ma charité, mais quel insolent! Qui es-tu pour moi pour que je t'accueille ainsi, que je risque ma réputation? Tu veux donc mendier toute ta vie? Je les connais, les garçons de ton espèce. J'en ai beaucoup rencontré pendant mes voyages d'affaires, j'ai refusé leurs propositions, au nom de leurs parents, des treize enfants de leur famille, de la nourriture absente le soir sur la table. Vous venez vendre vos corps sous prétexte qu'il n'y a rien à manger au foyer, n'est-ce pas vrai? Le père est chômeur, la mère est malade, et quoi encore! Je connais tout de même un peu la race de garçons à laquelle tu appartiens, j'ai beaucoup résisté à ces mendiants dont le jeune corps ne demande qu'à s'éveiller à l'enseignement voluptueux d'un adulte qu'ils admirent sans même le connaître, pourquoi t'ai-je pris, oui, même pour te faire la charité, comme tu dis? Pourquoi, en effet, tu étais plus heureux dans ton collège, la proie de tous les vices et mourant de faim!

— Bernard m'aimait. J'étais content.

— Alors, retourne là-bas et laisse-moi. Un jour, ce Bernard serait capable de te tuer, par amour. C'est un sauvage sans nuances, il n'aime pas les garçons, il les dépossède, il ravage tous ceux qui viennent à lui. Après tout, c'est bien possible que cette sorte de maniaques te fassent du bien! Je n'ai peut-être plus rien à donner à un être comme toi, tu es impitoyable à ta façon. Tu es trop absolu dans des liens qui devraient rester superficiels, tu ne sais pas t'amuser un peu, jouer, te délasser. C'est curieux, tu vois, je peux me mettre à la place de ceux qui me jugent et voir ma faute comme ils la voient, eux; la déchéance d'un vieillard prospère qui entretient un petit animal luxueux et couche avec lui, voilà ce que je suis pour ceux qui me condamnent. Quand le plan sexuel est malgré tout si secondaire pour moi et que j'ai eu pour toi des espoirs que tu n'as pas compris. Pourquoi les comprendrais-tu d'ailleurs? Je sais trop de choses, et toi pas assez, le péché ne te touche pas. Même lorsque je cherche à mieux te vêtir, tu crois que c'est encore pour sauver mon image, je t'ai si souvent blessé par maladresse que tu as perdu toute confiance en moi. Mais sincèrement, j'aurais voulu t'aider, toi ou un autre garçon, c'est de cela que j'avais surtout besoin; en sachant comment le faire, je t'ai violé et j'en ai des remords, c'est normal. Mais était-ce bien un viol, pour toi? Non, tu étais le seul don du pauvre à un homme trop riche et je n'ai pas eu la force de recevoir ce que la vie m'offrait de bien tendre. Mais essaie de comprendre, toute mon existence j'ai su éviter ces écueils, et soudain, moi, l'homme chaste, j'ai dans mon lit un garçon qui me semble débauché, qui a tout vécu avec un Bernard dont je suis jaloux, qui fait tout ce que je lui demande sans hésiter, oui j'avoue qu'un tel torrent me fait peur, pourquoi as-tu fait cela? Pourquoi as-tu bouleversé ma vie, toi, un étranger?

Oui, pensais-je en l'écoutant, moi, un étranger, à sa table, dans sa propriété légitime, étranger à son ordre, à tout ce qu'il y avait eu en lui de respectable! Nous avions tant à apprendre, l'un et l'autre, pour respecter la distance qui nous séparait. Il suffisait d'un regard de Georges, pendant un repas familial, pour me faire sentir l'abîme de cet écart social, là où sa femme et ses enfants savaient vivre avec distinction, boire, manger sans faim, sans soif, je redevenais, moi, l'affamé dévorant le pain et la viande, déflorant à mesure, par mon manque d'éducation, tout ce que l'on me donnait peut-être en ami et que je saisissais en convive désespéré. Étranger, je l'étais plus encore dans ce foyer, la nuit: chacun des enfants avait sa chambre, son sommeil bien gardé, et celui qui, à la ville, pendant la semaine, m'avait traité en amant n'était plus quelqu'un que je connaissais intimement, mais un père, un mari mieux connu de sa femme et de ses fils que de moi-même: après quelques caresses clandestines dans un couloir, il me laissait à ma solitude, feignait de m'oublier. Une nuit, voyant de la lumière sous sa porte, je courus chez lui sans frapper, croyant qu'il était malade: «Pars, que viens-tu faire ici, dans la maison de mes enfants!» s'écria-t-il, et en le surprenant ainsi, blême et défait dans la lumière de la lampe, rangeant ses papiers comme un vieux notaire, j'eus l'impression de voir un fantôme, quelqu'un qui se préparait pour une autre vie mais qui avait depuis longtemps quitté la nôtre.

— Je croyais que vous étiez malade.

— Va-t'en. Je ne peux donc pas être seul?

Mais je restais là, pétrifié de crainte. Quelle blancheur mortuaire sur son visage, sur sa personne comme autour de lui, dans la chambre. Ce n'était plus un homme ordinaire que je voyais devant moi, mais un agonisant.

— J'ai eu un moment de fatigue, je crois. Ce n'est rien. Il vaut mieux me laisser seul.

Mais je craignais lâchement d'être seul avec lui: quand il posait sa main sur ma nuque comme il avait fait tant de fois avec moi (le seul geste qui fût permis devant sa femme et ses enfants et qui était malgré tout la marque du possesseur), sous l'effleurement de ses doigts contre ma peau, j'avais l'impression que la mort de Georges, sa décomposition, descendait en moi, c'était une sensation si veule que j'en avais honte... Georges souffrait trop pour maîtriser ses paroles et, depuis cette nuit où il m'avait chassé de sa chambre en disant: «Tu seras donc indiscret jusqu'à la fin?» me suppliant d'épargner le sommeil aveugle de sa femme, de ses enfants, «il ne faut pas, tu entends, il ne faut pas qu'ils sachent qui je suis, je vais détruire toutes mes lettres, effacer toutes les traces», depuis cette nuit où je l'avais vu si gravement dérangé par la peur, je tremblais moi-même pour lui, me disant que la révélation de sa propre nature l'angoissait plus encore que la pensée de son agonie. Ces tempêtes bien épuisantes retombaient soudain, sans aucune raison, comme change le vent. Georges revenait à la ville, à ses occupations viriles, à un métier qu'il dominait avec succès, moins souffrant pendant quelques jours, il se croyait guéri, je le retrouvais le soir, à la sortie du conservatoire et, oubliant toutes ses craintes, il me proposait de marcher avec lui à travers la ville pendant des heures, posant sur mon épaule un bras paternel et me souriant d'un air émerveillé:

— Que j'aime marcher avec toi ainsi, le soir. J'ai toujours rêvé de trouver un jeune compagnon et de me perdre avec lui dans les rues, après le travail. Toute la journée, je ne pense qu'à l'argent, je veux assurer l'avenir de ma famille. Je suis bien content, ce soir, tu me rends heureux. Tu es un brave garçon, je sais bien que je devrais avoir confiance en toi.

— Il y a longtemps que nous marchons. Vous serez fatigué.
— Fatigué? Moi? Il neige, il fait bon, tu es avec moi, où veux-tu encore aller? Tu ne peux donc pas marcher bien tranquillement à mes côtés? Bien sûr, je ne suis pas un compagnon très agréable pour toi, je ne suis pas comme ton Bernard qui aimait les courses en traîneaux, l'activité sportive au grand air, je sais bien que tu préfères les collégiens de ton âge.

Il portait la main à son cœur, semblait oppressé, et si je lui parlais de rentrer, il me serrait contre lui affectueusement en répétant:

114

— C'est vrai, je suis bien avec toi, autrefois je marchais beaucoup dans ces rues, seul, toujours seul, la nuit. Je finissais la nuit, anonyme, perdu parmi les miens, dans les bars. Moi qui ne touchais jamais à un garçon, je ne me sentais bien que dans le vice des autres. Quelle fraternité il y avait là pour moi! Une famille ne me donnerait jamais cela! Les liens familiaux sont des mensonges, voilà encore une chose que tu ignores, toi qui respectes tes frères et sœurs parce que tu es séparé d'eux depuis longtemps!

J'éprouvais soudain, en écoutant Georges me parler de son bonheur d'être avec moi, une triste indifférence. On eût dit que ce moment que j'avais tant attendu venait trop tard entre nous deux. Il avait raison de dire que j'avais perdu confiance en moi-même et en lui également: ce sentiment, lequel avait été tour à tour puni, désavoué, et si peureusement reçu, me laissait désenchanté et mûri. Comme nous étions destinés à peu nous comprendre, Georges et moi, il interpréta encore ma déception comme une preuve récalcitrante de mon amour pour lui et, me secouant le bras, il me dit durement:

— Tu veux me quitter, n'est-ce pas? Tu as assez souffert avec ce fou que je suis! Montons à ta chambre et séparons-nous. Tu as gâché la joie que j'aurais pu avoir avec toi, ce soir. Pourquoi ai-je cru en une entente possible entre un homme malsain comme moi et un garçon léger et instable comme toi? Tu te donneras à d'autres comme tu t'es donné à moi. J'ai eu peur à cause de toi, j'ai changé mes habitudes, l'as-tu seulement apprécié? Et cette riche sensualité en toi, que m'a-t-elle apporté, au juste? Tu n'as pas cicatrisé le mal, tu l'as envenimé.

En l'écoutant dénier ainsi chacun des instants paisibles que nous avions vécus ensemble (car ces instants existaient aussi, la vie d'un couple n'étant jamais une faillite totale), ce qu'il contestait devant moi, ce n'était pas seulement une période d'accalmie dans l'existence d'un garçon socialement opprimé, mais toute une suite de joies fragiles, d'actes sans gravité qui lient deux êtres l'un à l'autre, telle cette promenade dans la neige que nous faisions ensemble, ce soir-là, et qu'il maudissait parmi tant d'autres choses, en l'entendant parler ainsi de notre liaison comme «d'une malheureuse aventure à oublier», c'est lui, Georges, qui maintenant me devenait étranger. Sa présence me remplissait d'une gêne douloureuse.

— Laisse-moi te dire la vérité, mon garçon. Je veux te dire ce que je pense des garçons de ton espèce. Vous êtes là, tout offerts, mais au fond vous méprisez le vieil homme qui vous prend dans son lit. L'odeur de leur vieillesse, de leur mort, vous répugne. J'ai compris: ne cherche pas à me cacher ce que tu penses.

Ce qui me répugnait et que je ne pouvais pas évoquer en présence de Georges, ce n'était pas la maladie ou la mort, réalités très dignes pour un gar-çon qui a souffert, mais l'usure des belles choses de la vie, usure des sentiments, des dons du corps ou de l'esprit dont on faisait un si scandaleux gaspillage

116

partout: Georges, par peur, Bernard, par agression sauvage, oui, pourquoi, me disais-je, deux êtres mis l'un en face de l'autre, plutôt que de se fondre dans une sensible harmonie, ne songeaient-ils qu'à s'entre-dévorer comme des bêtes rivales? Quant aux dons de l'esprit, pourquoi avoir des frères exceptionnellement doués, travaillant en usine, quand les fils de Georges, sans aucun effort, dans une monotone langueur dé-daigneuse de tous les biens de ce monde, se traînaient vers des études universitaires qui ne les intéressaient même pas? Ainsi, cette histoire avec Georges (comme les qualités de mes frères qui seraient toujours invi-sibles, leur intelligence longtemps inexprimée), je l'avais vécue en pure perte, ce n'était là aussi qu'une dissipation de forces.

— Toi aussi, tu as changé, mon garçon. Je me suis sans doute attaché à une image, pardonne-moi. Quand je t'ai vu pour la première fois jouant du Schu-bert avec les élèves de ton collège, il y avait en toi une passion et un raffinement extraordinaires! Tu ne seras jamais plus ce que tu étais à cet instant-là, ni pour toi-même ni pour moi; tu n'es pas moins doué ni moins passionné maintenant, mais en entrant dans le monde des adultes, dans le mien, celui des peurs et des menaces, tu as laissé derrière toi une vision très belle qui ne reviendra jamais plus. Tu semblais dire: «Quoi qu'il arrive, je suis disponible!» Mainte-nant, tu es disponible mais tu es déçu.

Sans découvrir les raisons de cette lassitude, Georges avait senti qu'il ne m'étonnait plus, que je n'étais plus ébloui. Nous montions à sa chambre comme deux compagnons âgés, lui, une main sur la poitrine parce qu'il ne se sentait pas bien, moi, l'âme dégrisée dans un état de fatigue plus annonciatrice que réelle (car dès le lendemain matin j'aurais l'impression que contrairement à ce que j'avais cru la veille, ma vie ne faisait que commencer, qu'il y avait encore une quantité fantastique d'êtres à aimer), fatigue de l'amour qui a mal servi, qui n'a pas équitablement rempli sa tâche, et qui me rendait ce soir-là aussi désillusionné que Georges courbant son dos majestueux en montant l'escalier pour aller à la chambre.

—Toi, mon garçon, ne t'enferme pas dans l'ennui d'un seul être, regarde ailleurs.

Lorsque je fus assis près de lui, au bord de son lit, je le sentis si affligé, pantelant de souffrance (car comme je l'avais craint en marchant si longtemps avec lui, il avait encore abusé de sa santé amoindrie), lisant dans son œil l'épouvante qu'il ne voulait pas m'avouer (la peur de mourir dans la luxure en compagnie d'un garçon comme moi); ne sachant que dire, quoi faire, j'imitais son geste quand il voulait me consoler, lui caressant la nuque, sa nuque froide qu'il inclinait vers moi, et lui répétant: «Je vous aimerai toujours, je vous aimerai toujours», quand lui me répondait sans me croire du fond de sa détresse: «Je sais, mon garçon, je sais. Mais pars maintenant, je ne peux pas respirer quand tu es là, adieu mon garçon, laisse-moi seul maintenant, veux-tu?»

Et me détachant de lui qui me retenait dans ses bras tout en me disant de partir, de partir très vite, je courus vers la porte, ne pleurant plus de tristesse mais de reconnaissance, car même si tant de choses entre nous avaient été détruites pour des raisons qui ne me semblaient pas très pures, comme la famille, le prestige social, à sa façon, comme Bernard, Georges m'avait aimé et reconnu.

Quatrième chapitre

Un an après ma liaison avec Éric, quel est le bilan de ma vie? La saison de Lucien, la saison de l'aridité est finie, la douleur de mendier des miettes sous la table de mes hôtes m'aura peut-être appris à nourrir d'autres qui ont faim, il se peut aussi que l'acte de mendier et l'acte de nourrir que j'ai bien connus, ne servent jamais à personne, n'apportent aucun apaisement à ceux que j'aimerai ou choisirai. Éric n'est-il pas pour moi la preuve la plus récente que les choses se perdent à l'infini, que se livrer complètement à un être et devenir sa pâture, ne calme pas sa faim mais la provoque et la tente jusqu'au vertige?

— Vous oubliez, me disait Éric avec une intuition prophétique (car à peu près toutes ses visions pessimistes de notre vie se sont réalisées en quelques mois), qu'un amant trop généreux ouvre la voie à une trop grande liberté; les gens comme vous sont si naïfs, plus ils aiment, plus ils semblent dire à l'autre: «Tu peux te servir de moi, je suis ton bien.» Devant cela, ce n'est pas le respect ni l'amour qui se réveillent, mais l'instinct du loup. Quand donc apprendrez-vous à mieux connaître l'avidité des hommes et à ne pas tomber dans le piège de la pitié? C'est la pitié et la foi qui vous perdent. Là où vous voyez une âme à racheter, une tête lasse se redressant sous la main de la consolation, il n'y a rien d'autre qu'un homme mûr, souvent médiocre, un mauvais caractère, et cet homme a pris l'aspect, pour mieux vous séduire, ou parfois même sans aucun espoir de séduction, d'un vieil enfant à nourrir et abreuver. Il saisit en vous ce qu'il veut bien saisir, pas nécessairement ce que vous aviez l'intention de lui donner, puis il part et cherche ailleurs des nourritures moins élevées, mais plus distrayantes. Car vous n'êtes pas bien amusant, vous; avec vous, il faut toujours penser, rien ne vous échappe, on vous en veut facilement à cause de cela. Et puis, vous êtes jeune, beaucoup trop pour ces vieux problèmes originels. Je vous avais dit que je n'aimais pas les jeunes gens et que je ne vous serais pas fidèle, vous m'incitez tout de même à partager votre vie, je le fais un peu par curiosité, par désœuvrement et parce que vous m'inspirez une brève passion, très brève, croyez-moi, quatre ou cinq jours, pas plus, vous êtes si différent des autres hommes que j'ai aimés, pensez à quelqu'un qui traverse un paysage de rochers et de glace et qui soudain découvre une eau qui le rafraîchit, j'étais ainsi, et comme je n'avais personne à aimer, je vous ai aimé, vous. Vous m'admirez, moi qui n'ai rien d'admirable, vous aimez mon œuvre quand ce petit souffle créateur ne représente rien de plus dans le monde que le souffle d'un enfant malade oublié dans son lit fiévreux, on est surpris d'être aimé, vous savez, c'est un choc de savoir qu'un regard, et surtout un regard juvénile se pose sur vous quand vous n'êtes qu'un néant à vos propres yeux, un professeur de musique sans importance, un compositeur sans originalité qui travaille avec acharnement dans sa solitude, car il faut bien faire quelque chose en ce monde, autrement, comment voir la vie autrement que ce qu'elle est: un service, on ne sait à qui, pour qui et dans quel but? Un regard de douceur change toute cette monotonie funèbre: votre douceur à vous m'a bouleversé, je n'attendais plus rien et vous avez réveillé des choses assoupies au fond de moi-même depuis des années. Ce n'est pas toujours très enchanteur ce que l'on réveille ainsi, à vous d'en porter les conséquences maintenant. Je vous avais dit: ne donnez pas à un seul être une liberté qui ne devrait appartenir qu'aux anges car ils sauraient mieux l'utiliser que nous et feraient moins de mal avec ce pouvoir, que nous-mêmes, dans notre inexorable sauvagerie. Mais vous n'avez aucune prudence, pas un instant de calcul, et c'est ce calcul des esprits un peu bêtes qui empêche les vies de se briser. À votre contact, tout s'effrite, tout se brise et votre excuse n'est pas l'intelligence mais l'amour. Les Lucien, les Georges de votre vie, c'est vous qui les avez troublés avec votre charité diabolique! Vous avez franchi des frontières qui vous étaient interdites, il est bien naturel de se défendre contre un intrus comme vous. Quand je pense que j'étais comme vous autrefois, à la fois mendiant et nu et plein de dons pour aimer.

cette passion de guérir et de consoler un aîné, enfin, ne plus tomber dans cette ardeur chevaleresque si ridicule! Je m'enferme avec vous dans une existence confortable, je me dis que le charme si sensuel de cette union avec un être gai et voluptueux me distraira de mon passé. Et qu'arrive-t-il? Vous avec qui je vis, vous m'ouvrez d'autres portes, la sécheresse des couples vous effraie, vous rêvez d'étendre ailleurs et plus loin le domaine de votre amour pour moi. Il faut être bien insensé pour agir ainsi! Vous avez l'imprudence de me faire connaître l'ami Gilles dont vous m'avez beaucoup parlé et avec qui vous avez vécu deux ans après votre échec avec Lucien. Rien ne vous semble plus naturel que de le revoir revenir près de vous, chastement cette fois, sachant bien que je ne résisterai pas à cette sorte d'homme.

— Je voulais simplement partager cette ancienne amitié avec vous, Éric, ne soyez pas injuste.

— Quand on a une amitié si précieuse, on ne la partage pas, allons!

— Pourquoi pas?

— Vous êtes irritant, vous. Je n'aime pas les partages. Un homme comme Gilles, je ne le partagerais avec personne. Et surtout pas avec vous! Vous ne faites pas attention aux êtres que vous avez eus, vous ne les soignez pas comme des trésors, alors résignez-vous à les perdre, les uns après les autres!

Quelques mois après cette conversation dans un café bruyant (où, tout en écoutant Éric avec attention, mon visage rapproché du sien, je n'avais pu détourner les yeux d'un garçon qui dansait parmi d'autres, dans l'ombre, un aventurier d'une délicieuse folie, et qui, tout en dansant, allait et venait autour de notre table et buvait dans mon verre, ce papillon qu'Éric avait plusieurs fois chassé de sa main tournoyait dans la fumée, indomptable, fugace instant de plaisir, si facile d'accès que le voir c'était le posséder), quelques mois plus tard, nous étions ensemble, Éric, Gilles et moi, lancés vers l'insoluble accord de l'existence à trois, quand il est déjà si dur de vivre seul ou avec un autre, porteur d'un autre passé que le sien. Si Éric, dans ses paroles, comme dans ses lettres, dessinait avec netteté le plan de la vie à trois, respectant la liberté de chacun, peignant tous les dangers d'une pareille liaison dans laquelle trois êtres même liés par une sorte d'idylle (du moins avions-nous commencé par cet essai) possèdent des existences différenciées, et c'est cette zone de la différence, cette marque des territoires, comme disait Éric (parlant surtout de son territoire privé qui envahissait un peu les terres voisines), qu'il était essentiel d'observer «pour une meilleure entente communautaire», si Éric, dans sa candeur précédant l'expérience, parlait ainsi avec une sagesse qu'il ne retrouverait plus après, il ne tarda pas à découvrir que dans le monde pratique ces lois harmonieuses n'étaient pas si consciencieusement gardées, il serait peut-être le premier à les trahir lui-même. J'avais un peu mieux compris, avec Bernard, la nature d'une passion, c'était une croissance qui atteignait parfois des proportions délirantes et, chez

Bernard, un sentiment violent qui avait été tour à tour louable, maternel, et puis hostile, malfaisant, envieux, une chose primitive, amorale, contenant autant de bien que de mal. Mais Éric, lui, alliait à la sauvagerie de Bernard une imagination, une subtilité dans ses exigences qui faisait ressembler son univers passionnel à une tapisserie ou à une végétation fauve rassemblant dans la forme de ses arbres, la multitude de ses couleurs, l'ordre, la rigueur et l'enchevêtrement des pensées démentes. Quelle singulière aventure de voir Éric que j'avais beaucoup aimé (mais que j'aimais encore dans le désappointement) en aimer un autre, voué à une activité de dévotion devant Gilles, Éric donnant à Gilles ce que moi-même, dans la paralysie de mes sentiments interrompus, je ne pouvais plus donner à Éric que de façon diminuée. J'avais un rôle indésirable, celui de l'envoyé qui ne sert qu'à élaborer l'échange de deux autres êtres! Si je me prêtais encore à Éric qui m'aimait distraitement, se penchait vers moi avec la complaisance qu'on éprouve pour les déshérités, sincère dans sa compassion comme il l'était quand il embrassait Gilles sous mes yeux («J'ai été loyal avec vous», me répétait-il, non pour se disculper mais parce qu'il louait sa franchise même lorsque ses actes, eux, constituaient pour moi une succession de mensonges tardivement avoués; il est vrai toutefois que, comme le disait aussi Éric, il m'avait «averti» et que je n'avais pas été un bon gardien de ses démons...), si les caresses d'Éric me réconfortaient encore un peu, je savais que ce que j'avais ardemment souhaité entre lui et moi, ou entre lui, Gilles et moi, ne serait plus. Ces démons d'Éric, si sérieux, vénérant l'objet de leur admiration et de leur amour comme les moines prient Dieu, Gilles devenant l'adoré et Éric, l'époux adorateur, possédé, tous ces mouvements auxquels j'étais extérieur tout en étant leur prisonnier, triomphaient de l'idéal auquel chacun de nous aspirait, dans ses moments raisonnables, non pas le cercle où plusieurs êtres s'épuisent en une asséchante confrontation, mais la demeure ouverte, illuminée où chacun partage avec l'autre sans âpreté ni provocation, aimant sans lutte, comme on joue, non courbé sous la contrainte d'une ascèse. Que d'errances inutiles avant de parvenir à cela! Si je prononçais le mot «harmonie», Éric me regardait aussitôt avec inquiétude, dans la crainte de perdre Gilles. «Ah! me disait-il, comment échanger avec un autre ce que j'ai du mal à retenir pour moi-même? Gilles vous a aimé quand vous aviez vingt ans, vous avez eu votre part, laissez-moi la mienne qui est déjà entamée; cet homme a été très aimé pendant sa vie, il est encore revêtu de tous les attributs de l'amour dont je rêvais quand j'étais adolescent... Vous devriez comprendre ce que cela signifie de passer toute une vie dans l'attente, c'est l'adolescent qui brûle en moi, c'est bien votre faute, d'ailleurs. Gilles est harmonieux, il répond à celui qui lui parle. Mais j'ai toujours connu des hommes comme votre Lucien, on sort de ces liens avec infirmité, ayant tout perdu pour quelqu'un qui ne vous a pas même regardé. En voyant Gilles, un regard a répondu à toute mon attente, non seulement cet homme a besoin de moi, mais sa beauté irrégulière a quelque chose de saisissant pour moi, vous le saviez bien, je suis sensible à une forme de beauté atteinte, juvénile par la grâce, aristocratique par la sensibilité et, en même temps, oubliée des autres parce qu'elle est vieillissante. Avec vous, je n'avais rien de tout cela. Vous avez peut-être beaucoup vécu mais on ne le dirait pas. Les gens vous prennent pour mon fils, je ne puis admirer un fils, et surtout un fils comme vous, j'ai l'impression de vous connaître depuis trop longtemps, vous n'avez pour moi aucun mystère, ma paternité est d'un autre ordre.

— Pourquoi faites-vous de Gilles un être mythologique, c'est une homme comme les autres?

— Chacun a sa mythologie, la mienne est mon affaire. Vous me voyez comme un propriétaire avare, ou bien comme un chevalier hystérique défendant le beau chevalier fraternel fuyant sur son cheval vers des plaines en feu, et pourquoi pas, il faut bien que l'amour encourage un peu le rêve, autrement on s'en lasserait. Vous vous moquez de mes rêves mais peut-être cachent-ils des vérités de moi que vous ne connaissez pas, crevasses, humiliations ouvertes que nous refermons avec des images. Ceux qui ne rêvent pas sont bien à plaindre. Mais vous, non seulement vous ne rêvez pas, mais vous avez la manie de vouloir aider, secourir, vous n'êtes pas un ami mais un infirmier. Pour vous, aimer un homme c'est une question, un berceau de douleur, vous avez le désir de soigner et moi celui d'être guéri. Mais après tout, c'est le cas de chacun, une femme qui nourrit son fils, dans le geste de nourrir sa propre chair, se nourrit d'abord, dans le geste de consoler, se console soi-même. Nous ne pouvons donc pas y échapper! La charité est bien loin du monde naturel dans lequel nous aimons et vivons! Mais je ne suis pas comme vous, mon petit Sébastien, je ne désavoue pas à cause de Gilles tout ce qu'il y a eu, tout ce qu'il y a présentement entre vous et moi, je ne vous ai pas trahi comme vous aimez le croire, il s'agit de deux expériences séparées. L'une, un échec de paternité avec vous, mais pourquoi auriez-vous besoin d'un père, vous ne m'aviez pas choisi pour cette raison, vous êtes surtout le père des autres, et Gilles, un éblouissement, que voulez-vous, cela existe même à mon âge, on recommence à croire que quelqu'un a pour vous un pouvoir de guérison, et je le sais bien, c'est un rêve, on a tort d'attendre de l'autre une consolation quelconque: par exemple, Gilles sent très bien ce que j'exige de lui dans cette aventure compliquée et pleine de retours en arrière, cette régression ne lui plaît pas, il me voit comme un malade dont il faut vite apaiser la fièvre. Avec vous, j'avais un peu de pitié pour le vieil enfant détestable que je suis, avec Gilles, cet état de nudité le gêne, et pourtant c'est vers lui que je me tourne et c'est vous que j'abandonne.

Je ne me défendais pas contre les aveux d'Éric même lorsqu'il me parlait de sa vie avec Gilles. Je n'étais peut-être que cela pour lui, pensais-je, l'ami qui écoute (celui dont Bernard avait eu besoin aussi pour «le regarder vivre») et je l'écoutais en souhaitant la réussite de sa liaison avec Gilles, espérant que de l'adhésion de ces deux caractères profondément incompatibles dépendait encore l'unité ou le déchirement de ma vie. Ces liens qui n'étaient pas toujours des liens mais qui avaient certains jours le poids de lourdes chaînes, à nos pieds, n'avaient-ils pas commencé dans un échange beaucoup plus souple, moi, livrant Gilles à Éric (comme un simple cadeau) et Éric ouvrant les bras vers ce frère serein, plus normal et plus florissant que lui et dont il attendait un bien infini? Mais Éric ne devenait pas moins impatient et irritable parce qu'il aimait Gilles, il voulait bien être aimé, reconnu tel qu'il était, mais avec feu, dans une violence à la fois humaine et voluptueuse quand Gilles cherchait avant tout chez Éric un intelligent compagnon, un ami sûr, un cœur fidèle mais modéré. Il n'y avait aucune modération chez Éric lorsqu'il aimait quelqu'un: comme Bernard, il semblait fonder l'équilibre de sa vie sur des détails sensuels, comme nourrir et être nourri, dans tous les sens imaginables, et il avait lui aussi des besoins fantasques et insondables, ce n'était peut-être qu'un sauvage goût du bonheur qui les emportait, l'un et l'autre, Éric, de façon plus élevée et plus romanesque, Bernard, dans la haine de toute élévation amoureuse, mais comparé à ces deux êtres et à la ferveur de leurs appétits, Gilles qui ne tombait jamais dans une excessive sensualité, fuyant ce risque de se disperser et de souffrir, paraissait suivre une voie ascétique. La vie de Gilles ressemblait à une promenade dans la nature, discrète mais observatrice des mouvements, des subtilités qui passent inaperçus à d'autres moins artistes, pendant que la vie d'Éric était encore une vie à définir et à trouver, une fugue tissée de conflits, de tourments et de perpétuelles altérations.

— Gilles, me disait Éric, s'expliquant à lui-même la distance qui le séparait de son amant (et parfois de manière cruelle), est un être à la fois pratique et éthéré. Comment peut-il être ainsi? Il exerce sans doute de la fascination sur moi parce que je n'arrive pas à le saisir tandis que vous, je vous vois comme on voit le jour. Je regrette de toujours vous rappeler cela mais vous me rappelez un aspect de moi-même à votre âge que je ne puis tolérer. Vous qui avez vécu avec lui, pouvez-vous me dire pourquoi je l'admire tant? On n'admire jamais assez bien ceux que l'on devrait admirer, c'est injuste, je sais bien, mais croyez-vous que je l'admire pour mieux incorporer une image de puissance que je me fais de lui?

Éric m'interrogeait ainsi sans attendre ma réponse car il poursuivait avec le même élan:

— Je ne comprends pas pourquoi il a acquis tellement d'argent dans l'architecture, par exemple, pour se désintéresser de tout cela un jour, renoncer à toute ambition pour devenir violoniste! Que fait-il avec cet argent, il l'a mis de côté, le donne aux autres parfois sans jamais accabler les gens de sa générosité (ce qu'un garçon pauvre comme vous ne pourra jamais imiter, car votre générosité à vous est comme la foudre qui tombe du ciel, vous ne pouvez pas avoir un sou en poche sans revenir à la pensée du partage familial, donner votre morceau de pain, pour vous, c'est un geste qui vous apaise plus que de manger, n'est-ce pas vrai?), enfin, Gilles qui possède la force de l'homme riche, cette puissance d'asservir les autres, dont je vous parlais il y a un instant, refuse de s'en servir, et c'est là une chose étrange que j'admire car les hommes puissants que j'ai connus dans ma vie, puissants même de façon très mesquine, on est toujours le maître d'un plus faible, l'un se croyant supérieur à vous parce qu'il a une vie sexuelle conforme aux lois sociales, l'autre, parce qu'il peut vous arracher votre emploi, étant le patron d'un petit groupe d'hommes, enfin, Gilles qui a aimé des hommes et des femmes, qui a eu une vie plutôt heureuse sur plusieurs plans conciliant en lui l'harmonie, les talents de vivre aux dons de l'esprit, ne songe nullement à humilier ou dominer un homme comme moi, fougueux et insensé. Comprenez-vous cela, il est peut-être raisonnable, modestement raisonnable, sa charité est tiède et la vôtre qui est brûlante, je n'en veux pas!

Comme il me l'avait expliqué dans un flot d'images et de rêves suppliants, Éric avait l'humilité du prince exilé et affamé accueilli par Gilles, royal mais simple, tenant quelque mystérieux pouvoir d'adoucissement... Enfin, j'écoutais Éric me parler de son rêve de Gilles avec l'étonnement que l'on éprouve devant un beau conte, effrayé par les espoirs trop magiques. Je me demandais si Éric n'aurait pas davantage besoin de moi après son rêve que pendant, alors que la réalité de ma présence l'encombrait sans cesse.

— Éric, vous êtes... vous êtes un tel enfant!

— Vous avez eu l'instinct stupide de m'aimer à cause de cela. Ne me le reprochez pas maintenant.

Sans doute était-ce la jalousie qui me poussait à juger puériles les attitudes soumises d'Éric devant Gilles, Éric, qui n'avait avec moi aucune soumission, au contraire, nos lances se dressaient toujours pour la rébellion même lorsqu'il s'agissait de se servir de fromage à table ou de choisir un vin, éprouvait pour Gilles, qui n'avait que sept ans de plus que lui, une révérence, une adoration qui transformait Gilles en patriarche. J'avais toujours vu Gilles comme un homme encore jeune jusqu'au jour où Éric me présenta mon ami familier comme un inconnu à découvrir, un jour, sous les traits d'un précepteur grec au visage finement ciselé, à la blanche couronne de cheveux, un autre sous les traits d'un archange aperçu dans une chapelle moyenâgeuse, ses hommages ne tarissant pas pour celui qu'il aimait ainsi, sans honte, dans une miraculeuse immaturité qui me révoltait. D'abord, je m'attristais d'avoir toujours aimé les êtres, pour eux-mêmes peut-être, mais dans une totale absence d'imagination, ensuite j'attribuais un peu à cette fameuse rudesse prolétarienne dont Bernard était si fier, laquelle m'avait causé tant d'ennuis auprès des hommes que j'avais aimés, le rejet brutal d'Éric qui n'avait pas perçu, imitant ainsi Lucien, la finesse des sentiments sous une forme revêche, mais qu'un sourire de l'aristocratique Gilles, d'un Gilles aimé pour son apparence, sa beauté, avait perturbé jusqu'à la passion.

— Je croyais que vous aussi, Éric, vous aimiez les gens pour eux-mêmes, non pour leurs qualités, mais un regard de Gilles, même un regard indifférent vous bouleverse plus que les témoignages d'affection venant de moi.

— C'est vrai. Il y a des gens qui ont ce pouvoir: ils vous donnent une épingle et l'on se souvient pour toujours de ce mouvement qu'ils ont eu en se penchant vers vous; d'autres, comme vous, donnent des châteaux et on trouve cela tout naturel, on leur dit avec insolence: «Donnez davantage, ce n'est pas assez!» Je connais les limites dans le cœur de Gilles, c'est un être généreux mais prudent, il n'a pas du tout l'intention de se jeter dans mon brasier et de se consumer pour un homme comme moi: ce qu'il aime, c'est vivre avec un autre dans la tranquillité, je ne songe qu'à une récréation érotique avec lui, et lui s'enferme dans sa chambre et termine sa correspondance en retard ou étudie une partition sans s'occuper de moi comme si je n'existais pas. Ne vous plaignez donc pas d'être seul, mon petit, nous le sommes tous.

Gilles était pour moi le même être que j'avais connu quelques années plus tôt, vivant avec lui dans le travail et l'austérité, sans passion peut-être, mais dans une lisse égalité, un respect de l'un et de l'autre (lui ayant ses amis et moi les miens) où l'âge ne comptait plus. L'uniformité de ces rapports et la façon dont je pouvais m'adresser à Gilles comme à un camarade, semblaient à Éric un sacrilège, sacrilège de ses propres lois, de la déférence due à la bête de race dont il était le sauveur et le gardien, selon ses rôles, territoire sacré et qu'il eût aimé voir entouré de solitude et de dédain. Plus sociable et ennemi de ceux qui le possédaient, Gilles, lui, n'avait de territoire que sa liberté personnelle qu'il préservait avec une calme constance. Mais comme Éric me l'avait dit lui-même plusieurs fois: «Vous m'aimez parce que je suis un loup, comme Bernard, comme Lucien, autrement je ne pourrais pas vous intéresser, vous savez que je suis violent et capable de faire du mal aux autres, voilà pourquoi vous persistez à m'aimer»; c'est l'animal, en lui, le loup, si l'on veut, qui avait volé le territoire et installé Gilles comme maître; l'amant étourdi, encore sous le coup d'une hébétude amoureuse n'avait pas compris qu'une force animale le mettait en captivité, car dans sa tendresse conciliatrice Gilles avait été touché par Éric, l'amour, au début, ayant parfois l'aspect d'innocence d'une pêche mûre (Éric avait rajeuni de dix ans pendant ce temps de l'offrande et ne soupçonnait pas que c'était lui, l'homme radieux et charmant), et nous avions tous les trois vécu pendant des semaines dans ce rêve voluptueux d'Éric, dans un salubre bonheur couvant ses menaces, pourtant: car le besoin de posséder un seul être dominerait bientôt chez Éric le besoin de donner à chacun sa part, et la prison qu'il avait tenue ouverte pendant que nous étions tous absorbés par le jeu, le bondissement sensuel des corps les uns vers les autres, se refermerait promptement quand il dirait pour la première fois en parlant de Gilles: «Mon amant, l'homme que j'aime», fixant ainsi, sur le vaste champ de nos libertés, de nos jeux (car je me disais que les meilleures relations entre les êtres étaient peut-être celles où entrait un peu de détente, ainsi quand je riais avec Éric ou quand il se moquait de moi je sentais que tout n'était pas encore perdu entre nous deux), des restrictions séparatrices. Avec ces quelques mots, «Le mien, le tien», Éric avait créé le couple Éric et Gilles et le troisième être était répudié. Les liens durables de deux années de vie commune, entre Gilles et moi, s'effaçaient devant cette prise de possession d'un animal féroce, dérobant sa pâture. Quant à sa liaison avec moi, Éric ne craignait pas de m'offenser: «Je vous avais dit que cela arriverait, de ne pas compter sur moi», disait-il, ou peut-être comme il me l'avait dit aussi, ne pouvait-il pas penser à deux êtres en même temps, «et moins encore à vous que j'ai mis moi-même dans une position de faiblesse»; de toute façon, plus je cherchais une explication raisonnable à la conduite d'Éric, moins je la trouvais et il me restait au moins une certitude, c'est que si moi je ne pouvais pas «compter sur lui», lui, Éric, comme Bernard, comptait sur moi jusqu'à l'anéantissement de ma propre personne.

— C'est toute une éducation pour vous, cette aventure avec moi, profitez-en bien, me disait-il, vous avez eu un peu de paix avec Gilles, maintenant je vous arrache toute sécurité. Je ne peux pas agir autrement, non que je souhaite vous déposséder, mais pour le moment, c'est une saison bien primitive de mon amour pour lui, il faut que je prenne tout pour moi-même. J'ai vu tant d'hommes qui s'animaient, je les ai terriblement enviés, dans leurs maisons, dans leurs voitures, partout où il y avait des couples d'hommes heureux, je crois les avoir vus, de près ou de loin et toujours avec le désir absolu de m'emparer de leur destin, de la jouissance qu'ils s'apportaient. C'est très long une vie à contempler une nourriture qui vous est défendue. Lorsqu'elle vous est spontanément tendue par une main moins avare, on est ivre. Pensez à votre ami Bernard qui délirait parce que vous l'aimiez. Vous pourriez aussi expliquer l'hostilité de Lucien à votre égard parce qu'il se sentait coupable de saisir enfin ce qu'il avait tant attendu. Aimer, vous le voyez bien maintenant, n'est pas beau, n'est pas sain, mais barbare, déchirant. C'est par amour que Bernard était capable de tuer, c'est pour tuer l'amour en lui-même que Lucien vous punissait inconsciemment. Et moi je vous punis à mon tour pour avoir ce que je veux. Je n'ai pas connu les privations et la faim physique, comme vous, je n'ai pas été un vagabond errant sur les routes, j'ai vécu dans la chaleur et l'abondance, ce qu'on appelle «quelqu'un qui a tout» mais ce qui est singulier, c'est que comme vous toutefois j'ai eu souvent la sensation de n'avoir aucun droit à l'existence. Dans les écoles très disciplinées, eux, toutefois croyaient avoir droit à mon existence plus que moi-même, ils décidaient pour moi, formaient mon destin selon leurs caprices, je me laissais faire comme une chose, comme une loque entre leurs mains me disant que ma différence sexuelle qu'ils avaient oubliée dans leur façonnage de moi triompherait un jour, que je la trahirais avec joie cette différence pour leur montrer que j'étais aussi un peu le maître de leur œuvre, je regardais avec fébrilité et envie ce qui se passait dans la vie de mes camarades: ceux qui étaient en apparence les plus froids, les plus militaires, avaient souvent des vies érotiques fabuleuses. Moi j'étais un collégien sentencieux et bûcheur et nul ne songeait à venir vers moi pour m'initier à ses plaisirs. Il y avait, je me souviens, un jeune garçon de douze ans, pas davantage, il n'était pas beau, il avait un corps long et admirable, la grâce d'un jeune serpent, une tête amusante, des joues creuses, ce garçon possédait sans doutes des connaissances sexuelles très grandes car il était très admiré par ses aînés, je me disais qu'il viendrait un jour dans ma cellule, mais il ne vint jamais. Je me disais qu'il avait peur de moi, peur d'être trahi par le garçon normal que je représentais pour lui et cette absence de confiance me le faisait haïr.

Dans la tristesse de ne pas être aimé et choisi par lui, je le suivais partout, je le guettais comme une ombre mais lui demeurait pour moi toujours aussi impénétrable. La seule activité où je risquais de le dominer était l'activité sportive mais là aussi ce petit être musclé et volontaire se mit à gagner dans tous les jeux. Dans l'eau comme sur la glace ou dans la neige, sa présence étincelait comme la lame d'un couteau, il passait près de moi victorieux et rapide et son éclat de rire me mordait jusqu'à l'âme. Une nuit que je le suivais ainsi, me laissant aller à la pensée basse de le dénoncer à ses supérieurs, je le surpris dans les bras d'un jeune professeur de mathématiques que j'admirais et à qui j'avais pensé le trahir, créant ainsi par la trahison une complicité aussi forte que celle des amants entre eux, mais lorsque je les vis tous les deux, le garçon aux joues creuses et celui dont je ne voyais que la haute silhouette énergique (se penchant parfois, enveloppante comme un manteau) et qui disait au cadet: «Tu veux donc être aimé encore et encore?» et l'autre qui répondait par un rire timide et cristallin, ma colère se transforma en respect devant le couple qu'ils formaient: à travers eux, j'avais compris que les plaisirs et la tendresse que je recherchais étaient bien de ce monde, que ce qu'ils vivaient ainsi sous mes yeux sans aucune vulgarité, étaient les fragments extatiques d'une existence que j'attendais pour moi-même, mais je ne savais pas alors qu'il serait si dur d'attendre...

— Et le garçon, qu'est-il devenu?

— Vous voulez toujours tout savoir! Il savait trop de choses, on l'a chassé, bien sûr. Une école, un collège sont faits à l'image de la société et ces choses-là ne sont pas acceptées. Pour moi ce garçon était un magicien, il avait la mission en ce monde d'envoû-ter les sens, on préfère toujours bannir ce genre d'êtres, surtout dans les écoles où l'on a la préten-tion de «former des hommes». Enfin, il donnait le bonheur, c'est déjà très menaçant. Son départ précipita le professeur de mathématiques dans une grande tristesse, quelques mois plus tard, il quittait à son tour notre école, j'ai beaucoup rêvé au sujet de cette liaison. Il vaut mieux peut-être ne pas connaître la suite de tout cela.

J'écoutais Éric avec mélancolie, songeant qu'il n'avait plus les qualités d'attention et de contemplation du bonheur des autres qu'il avait eues autrefois lorsqu'il admirait le couple hâtivement enlacé, celui qui vivait aussi hors de lui-même. Je pensais aussi aux premières heures de cette aventure à trois, que de bouleversements, me disais-je, quand les êtres ne regardent plus, ne contemplent plus ce qui se passe dans la vie des autres et que le désir de posséder et de prendre s'empare d'eux comme une maladie! Nous étions déjà bien loin de ce soir où nous attendions Éric à la gare, Gilles et moi, ravis de le retrouver après une tournée de concerts, impatients de lui montrer les critiques élogieuses que nous avions gardées pour lui pendant son absence... Il n'y aurait jamais plus cette étreinte où, en un seul geste de retrouvailles, nous serions bénis les uns par les autres, comme nous l'avions été, ce soir-là, les lèvres de Gilles se posant en public sur les lèvres d'Éric (baiser qui m'avait soulagé de ce souvenir lascif de Bernard baisant un prostitué à la piscine) et la main d'Éric me caressant la tête avec familiarité. Le soleil se couchait sur la ville printanière, nous nous disputions, Gilles et moi, pour transporter les valises d'Éric vers le taxi, et lorsqu'il fut enfin assis entre nous deux, nos mains posées sur les siennes, on eût dit que s'étendait devant nous, dans un avenir sans ombre, une paix continue, fraternelle. Comment en arrivions-nous à perdre ainsi, sous prétexte que nous aimions trop ou pas assez, ce que nous avions tous de plus cher? Cet Éric plus généreux, attentif à un être puis à l'autre, ce Gilles d'habitude plein de réserves s'oubliant au point d'embrasser son ami sur la bouche, dans une gare, qu'étaient-ils devenus l'un et l'autre? «Un couple comme un autre, un triangle comme un autre», disait Éric lorsqu'il était maussade, n'était-ce donc que cela?

— J'ai toujours pensé que les habitudes tuaient tout, remarquait Éric, ce n'est peut-être qu'une épreuve à traverser. Au début, nous vivions ensemble dans cet appartement dans une sorte de fièvre, mais, mon petit Sébastien, je connais assez les hommes et leur violence jalouse pour savoir que les partages ne sont jamais d'une durée éternelle. Cela vous déçoit, je sais bien, mais les êtres humains, en général, ne sont pas capables de donner et de partager. Nous étions autrefois affectueux les uns avec les autres, nous avions toujours la crainte de mettre quelqu'un à l'écart, alors, plutôt que cela, nous nous aimions agréablement, ce que votre Lucien ou votre Georges pourraient concevoir comme des manifestations de débauche n'étaient que des signes de délicatesse et d'amitié. Mais il y a une fin à tout, je ne suis pas quelqu'un de gentil comme vous ou comme Gilles, je pense d'abord à moi-même, voilà pourquoi je vous ai écarté de ma vie, c'est-à-dire de ma vie avec Gilles. Dès qu'il y a des secrets entre deux êtres, personne d'autre ne peut plus venir, vous savez cela. J'ai pris la chambre que vous aviez autrefois partagée avec Gilles, j'ai dormi dans votre lit et avec votre amant, comme lui a consenti à se lier à moi sans s'occuper de vous... Il n'y a pas de paradis homosexuel, ou bien s'il y en a un, attendez-vous à y trouver quelques lois sauvages!

Éric décrivait bien la situation, oubliant que j'aimais bien aussi mes nuits solitaires, mes sorties autonomes, à quoi bon tourner autour de «la chambre d'Éric et de Gilles» puisque se célébrait dans cet oratoire une cérémonie nuptiale à laquelle je n'avais pas droit; peut-être Éric était-il le souverain d'un patrimoine physique et matériel dans lequel j'avais moi-même vécu, peut-être pouvait-il me dire: «Ne buvez pas dans notre verre, ne venez pas vous asseoir sur notre lit», mais je ne devenais pas nécessairement son vassal parce que nous vivions une telle crise, je m'efforçais de l'aimer maintenant, sans aucun espoir, et de travailler seul à mon destin. Mon passé avec Gilles, tel un morceau de ma vie, fuyait inaccessible comme un bateau sur l'océan; mon passé, déjà plus proche, avec Éric, m'inspirait encore au moment où je m'y attendais le moins, des élancements douloureux. J'avais beaucoup reçu de ces deux êtres, séparément et avec l'un et l'autre; pour cette raison, je ne voulais pas me plaindre d'être soudain rejeté dans une nuit neuve, sans étoiles, sans vent, semblable au confinement de l'ermite éprouvé par les folies du monde, lesquelles ne sont jamais assez loin de sa porte: n'avais-je pas permis moi-même, parce que j'aimais me lier, préférant les incidents et les surprises de la vie à la stabilité de l'existence, que me fût enlevée comme la tente de Jacob toute certitude près de Gilles ou près d'Éric? J'avais voulu «changer la destinée des autres», disait Éric, c'est de cela surtout dont j'étais coupable:

— Oui, c'est là votre pire défaut, me disait-il avec conviction, votre intolérable naïveté. Pourquoi ne m'avez-vous pas laissé là où j'étais, moi, Lucien et les autres? Vous êtes venu vous-même me chercher. Vous aviez eu la sérénité avec Gilles, un homme enfin qui vous aimait et que vous aimiez sans perdre toute votre énergie à le soutenir ou à le sauver comme Lucien ou Georges, vous n'étiez donc pas content? Vivre avec un homme avec qui l'on prépare des concerts, avec qui l'on fait quelque chose, mais enfin vous étiez un enfant ingrat en venant vers moi, vous aviez tout, pourquoi poser votre regard sur un loup méchant quand vous aviez un agneau? Je ne vous comprends pas! Vous m'avez offert Gilles, pourquoi le prendrais-je maintenant avec réticence? Bien sûr, je vous ai aimé: je n'ai pas pu faire autrement, je voyais Gilles derrière vous, l'aile d'un ange au-dessus de votre tête, je vous avais vus ensemble pendant un récital et je n'avais qu'un seul but, connaître cet homme... Voilà à quoi je pensais en vous serrant dans mes bras, à vous de juger tout cela maintenant!

Je n'espérais plus retrouver mon intimité perdue avec Gilles: il subissait lui aussi, comme moi, une

métamorphose secrète, je ne savais encore laquelle:
nous étions solidaires puisqu'il aimait Éric, solidaires
mais invisibles l'un pour l'autre car je le voyais très
peu même si je vivais encore à ses côtés; c'est dans
l'ombre d'Éric qu'il travaillait maintenant, dans la
même salle de musique dorée par la lumière de la fin
du jour où il avait longtemps étudié ses partitions près
de moi; Éric n'était-il pas maintenant pour lui une
nouvelle fièvre créatrice, une fontaine de rajeunisse-
ment spirituel quand en moi cette fièvre ne le faisait
plus vibrer? Et puis, nous partirons ensemble, dans
un même accord, pour des randonnées européennes,
à l'occasion de vacances ou pour des festivals de
musique, unis comme trois frères, peut-être, mais
chacun portant un monde adversaire du monde de
l'autre. La fatalité du couple me hantait: je me
souvenais d'une soirée dans un spacieux hôtel (car
Éric qui allait d'un extrême à l'autre ne logeait que
dans des hôtels d'un confort féerique ou dormait sur
la paille d'une auberge, nous montrant, à Gilles ou à
moi, que nous étions sots d'avoir longtemps vécu
dans des chambres d'hôtel glacées et austères; bien
sûr, il rêvait, lui aussi, de murs blancs comme des
temples, de flammes vaillantes dans de hautes
cheminées campagnardes, mais étions-nous perdus au
fond d'une forêt qu'il se plaignait «de cette atmo-
sphère de cloître», disant que ce lieu lui était malé-
fique, enfin, il n'était rasséréné que lorsque de sa
fenêtre silencieuse montait le souffle des prairies
vertes, d'une rivière coulant sous les arbres, et là
encore, il n'aimait que les rivières remuantes, se

méfiant de toute eau qui dort et que rien ne trouble),
cette soirée où j'avais aperçu du comptoir d'un bar
(je laissais souvent Gilles et Éric l'un à l'autre
aussitôt le dîner achevé) Gilles et Éric, tels deux vieux
époux encore droits et dignes, bras dessus, bras dessous, sortant ensemble du restaurant du même pas
jumeau et assuré, traversant le bar où j'étais sans me
voir, se parlant l'un à l'autre à voix basse, le regard
d'Éric croisant le mien en un éclair, désertant aussi
vite mon visage comme on évite dans une foule un
ami avec qui l'on a rompu ses liens. Il était évident,
alors, songeant à ces deux êtres, portant en eux, dans
l'éclat de leurs regards, la promesse du futures jouissances, (à l'heure même où je buvais mon troisième
whisky sans doute étaient-ils enlacés, Éric se prépa-
rant avec gourmandise pour un deuxième repas du
soir, Gilles cédant à la fatigue d'un sommeil langou-
reux), ce symbole de leur union ne m'affirmait-il pas
que je n'avais plus rien à attendre, ni de l'un ni de
l'autre, que ce couple se suffisait parfaitement? Le
lendemain matin, j'exposais à Éric tous ces griefs; il
me dit en buvant son café:

— Mais entre vous et moi, cela ne change rien.

Et avec une douceur à laquelle je n'étais plus
sensible:

— Tu sais de quelle façon j'ai besoin de toi.
Pourquoi en doutes-tu? Tu es ma nourriture.

— Mais vous êtes toujours près de Gilles.

— Je ne peux pas faire autrement, ce n'est pas
un amour, c'est un envoûtement. Et très souvent je
m'ennuie en sa compagnie: jamais je n'ai contemplé

autant d'églises qu'avec cet homme, devant chaque croix, chaque dessin dans la pierre, il se perd dans de longues réflexions, le passé des pierres l'émeut comme la musique de Bach, je m'efforce de partager son extase mais c'est à lui seul que je pense, lorsqu'il me montre un saint médiéval tenant une épée, au fond d'une crypte pleine d'ombre, c'est lui encore que je veux vénérer. Ou bien parfois, d'un petit vitrail illuminé, dans l'une de ces vieilles églises, j'aperçois un pré, des champs au bord de la mer et je rêve de m'évader là-bas avec lui. À quoi bon? Ces rêves enfantins ne touchent pas un adulte comme Gilles. Mais pourquoi es-tu si sombre, ce matin? Veux-tu que nous passions la journée ensemble? Allons d'abord à la piscine, tu veux bien?

En nageant aux côtés d'Éric dans la piscine de l'hôtel, j'observais avec quelle ardeur athlétique il chassait tous les gamins frileux qui osaient entraver son sillon; les piscines, les routes, rien en ce monde ne semblait assez vaste pour contenir l'impatience de ses appétits. Cet égoïsme obscur de l'animal se débattant sans cesse pour sauver sa vie, cette bête désemparée qui avait déjà bu beaucoup de mon sang, c'était donc cela, cela surtout, me disais-je, l'homme que j'avais aimé? Éric, pendant ce temps, allait et venait dans un tourbillon qui ne me laissait aucun repos.

— Que vous ai-je donc fait? Vous êtes bien irrité, ce matin, mon petit.

À peine me soufflait-il ces paroles à l'oreille, dans l'incandescence d'un sourire aussitôt disparu au fond de l'eau (ses dents blanches et régulières, plus blanches encore sous le ruissellement de l'cau ct de la lumière qui tombait du toit vitré), que j'eus l'impression de voir Éric en songe, comme j'avais vu Bernard autrefois, à la piscine, dans une même apparition voilée d'eau contre laquelle se heurtaient des voix d'enfants, des cris de baigneurs, ces cris, ces appels ne franchissant pas la cage de vaporeuse surdité qui nous entourait.

— J'aime Gilles, trouvez d'autres raisons de vivre! me disait maintenant la voix mûre qui avait remplacé le ricanement juvénile de Bernard, nous ne sommes que cela, des affamés à nourrir!

Enfin, nous sortions de ces eaux marécageuses: moins agile sur terre que dans la fluidité de son élément, Éric s'appuyait contre moi, et selon ses gestes rituels auxquels je ne voulais pas toujours répondre, me frictionnait les reins de sa serviette, me réchauffait dans son chandail comme il avait fait tant de fois après le bain.

— Tu n'as pas froid? demandait-il (répétant aussi les mêmes questions). Tu es bien maintenant? Tu veux que nous montions à ta chambre?

— Je préfère être seul.

— Autrefois, je n'avais qu'à te poser ces questions et tu consentais tout de suite. Après tout tu es peut-être las d'aimer quelqu'un comme moi. Je suis toujours étonné quand je pense à la profondeur de tes sentiments pour quelqu'un qui les mérite si peu.

Et comme il restait là, près de moi, immobile et inquiet, ses cheveux mouillés touchant mon front, je songeais à la façon dont il louait notre intimité, exaltant le plaisir qu'il avait avec moi, ne le boudant jamais, et je me demandais s'il disait aussi à Gilles qu'il avait connu avec lui de grandes voluptés, qu'il était l'auteur de ces bienheureuses griseries sensuelles dans lesquelles commencent parfois les amours... Sans doute, oui, répétait-il les mêmes paroles, les mêmes gestes, et malgré tout, je le retrouvais aussi implorant et nu, dépouillé de cette agressive supériorité qu'il avait eue en nageant, quelques instants plus tôt, à la piscine, je respectais en lui cette humilité qui venait vers moi, m'avouant sans me le dire: «Pourquoi ne m'aimes-tu pas? Pourquoi hésites-tu à me rassurer?» Alors je le secouais comme un grand chien, le repoussant et l'attirant à la fois pour qu'il comprît ce qu'il aimait comprendre: que je voulais bien n'être pour lui qu'un corps accueillant, un lien de pitié, élémentaire, peut-être, mais un être qui en ce sens-là du moins lui était bien destiné. Mais pendant que je m'appliquais à revivre près d'Éric une fièvre qui appartenait déjà au passé, c'est à l'odeur des granges et de la pluie, à l'odeur des fragiles dons de Luc sautant dans la paille et m'embrassant avec un contentement de petit garçon que je songeais, car cet être ne m'avait-il pas donné ce qu'il n'avait pas pour lui-même dans son immigration de voltigeur: le toit et la nourriture? Toute cette fraîcheur de la miséricorde me revenait pendant qu'Éric ouvrait toute grande la fenêtre et qu'une pluie drue, un vent de tempête entraient dans la chambre. Éric se tourna vers moi et me dit avec chaleur:

— Pourquoi ne vivons-nous pas toujours ainsi, purifiés par l'air et lavés par la pluie? La charité, tu le vois bien, ce n'est pas qu'une abstraction dans ta tête. C'est un don du corps, un don païen. Bien sûr, je sais à quoi tu penses, dans quelques heures. Mais aujourd'hui, n'étais-tu pas heureux?

— Assez, oui.

— Je ne te comprends pas. Tu n'es jamais satisfait. À qui veux-tu donc ressembler? À ces couples qui ne changent jamais, à ces amants qui ne connaissent jamais aucune modification dans tout leur être? Tu veux donc que nous soyons comme deux braves morceaux de fromage sous un papier transparent? J'en ai connu plusieurs, tu sais, qui ont ce caractère immuable. Des mariages d'hommes vivant toujours dans la même tiédeur. Toi, au moins, tu n'auras jamais de lassitude dans tes plaisirs. Tu seras toujours trop occupé à souffrir à cause de moi. Dans de semblables amitiés, ajouta-t-il, soulevé par sa ferveur pédagogique (car il avait une infatigable passion pour l'enseignement, s'attaquait-il à une sonate de Mozart avec Gilles qu'il faisait précéder son interprétation de toute une suite d'idées, d'explications longues mais cohérentes, ces visions poétiques de ses heures les plus éveillées de la nuit où il se levait pour lire et marcher agaçaient souvent Gilles qui n'aimait pas les relations de maître à disciple et voyait dans ces tentatives d'enseignement d'Éric un net penchant pour la domination plus qu'une forme subtile de caresse), dans une liaison très forte il y a souvent un danger de sécheresse. J'ai connu l'un de ces couples en particulier: on ne pouvait nommer Antoine sans penser à son compagnon Daniel, on les voyait partout ensemble, touchants, inséparables. Quand ils vous recevaient chez eux, on avait l'impression qu'ils attendaient avec impolitesse le moment de refermer la porte derrière eux pour mieux se retrouver. Ceux qui les estimaient étaient malgré tout un peu gênés par leur amour, sans doute, comme moi, parce qu'ils en étaient jaloux. Tu veux ressembler à l'élégant Antoine, au fidèle Daniel, tu aimes les couples unis? On peut être d'une raide fidélité pendant dix, quinze ans, même, et soudain un être passe et c'est la rupture totale! Antoine, qui lisait tous les soirs son journal près de Daniel, s'attristait avec lui devant les horreurs du monde, observe que son compagnon est un peu absent, perdu dans une rêverie qui lui est étrangère. Et c'est le commencement d'une fissure dans leur vie si bien organisée. Daniel a trompé Antoine, ce n'est qu'un incident, mais Antoine dont l'existence pratique et morale avait été tissée comme le lierre autour du corps et de la présence de son ami, ne pourra plus guérir. Il se desséchera peu à peu comme une plante sans eau. J'ai connu des hommes capables de se suicider après la perte d'un ami. Tu le sais toi-même maintenant, un lien de trois jours, charnel, exubérant, peut se transformer en une éternité de désespoir. C'est cela, prendre un inconnu dans son lit, dans sa maison: on ne sait jamais quel fardeau il deviendra avec le temps.

Mais Éric qui comprenait bien la tragédie figée d'Antoine et de Daniel, qui avait saisi que c'est au sein même de leurs habitudes sans cesse repassées comme du linge sous le fer, multipliant jusqu'au dégoût un horaire de vivre à deux, que c'est dans ce cercle de devoirs, cette privation d'une distance nécessaire à deux êtres que Daniel et Antoine avaient cessé de se surprendre l'un et l'autre et de se chercher, l'infidélité de Daniel n'étant qu'un prétexte à une séparation déjà consommée depuis longtemps, pourquoi ne comprenait-il pas aussi que ce même péril du couple enchaîné, il en était sérieusement menacé dans sa relation avec Gilles? L'environnement de ces menaces ne lui échappait peut-être pas entièrement non plus car je le voyais souvent inapaisé et mélancolique près de Gilles, souffrant comme d'une injure de la modération de son ami à son égard, ne pouvant concevoir que se termine ainsi dans l'existence quotidienne, loin de tout décor chevaleresque, entre les quatre murs d'un appartement, l'aventure de sacrifice et de renonciation à laquelle il avait rêvé. Cette adoration, cette renonciation qui avaient un aspect si noble quand Éric en parlait, ce ton de piété presque tragique dont il enrobait son sentiment pour Gilles, se traduisaient dans la vie réelle par un besoin de posséder Gilles, de le dévorer et d'être dévoré par lui jusqu'à la mort de toute liberté, jusqu'à l'étouffement. Gilles avait commencé à craindre en Éric ce regard plein d'une intense bouderie qui se posait sans cesse sur lui pendant qu'il lisait, le soir, ou travaillait, il se disait qu'il y avait dans ce regard

une expression infernale de l'amour qu'Éric ne maî-
trisait pas et cette fureur trouble, cupide, ce regard
qui disait: «Donne-moi tout!» Gilles s'en détournait
avec distance et malaise, refusant de prendre sur soi
l'assouvissement d'un monstre animal qu'il voyait
dans toute sa nudité, mais dont il ne supportait pas
la présence. Dans l'acte de prendre, d'envier, de
convoiter, Éric, comme Bernard, ressemblait à un
possesseur toujours menacé, incertain de son territoire. Jaloux des êtres, des choses, d'un livre lu, d'une
poignée de main échangée avec un camarade, Bernard avait des violences d'assassin quand il découvrait que l'humanité dans laquelle je vivais ne
contenait pas pour moi en ce monde que lui seul.
Qu'il me semblait triste de voir sans cesse atteint,
interrompu par une voracité empreinte d'inquiétude
et de désespoir, le jaillissement de la vie! Pour épargner les basses colères de Bernard, j'avais appris à
vivre à l'écart des autres tout en les aimant, à répri-
mer tout élan spontané dont Bernard ne fût pas
l'unique receveur: lorsque mes frères venaient me
voir au collège, si Bernard était témoin de ces rencontres, je n'évoquais jamais la tendresse ancienne
qui nous unissait tous, mais la jalousie de Bernard,
errant autour de nous, déterrait vite les vieilles
sources de complicité, et comparant la froide maison
vide de son enfance à la mienne où j'avais jadis vécu,
dans la pauvreté, peut-être, mais dans un bruissement
de voix fraternelles, il me méprisait d'avoir reçu ce
qu'il n'avait pas, et s'écriait d'un air farouche:

—Ils ont peut-être la couleur de tes cheveux, tous tes défauts physiques, toute la saleté de ton héritage, mais tu ne leur appartiens pas comme tu m'appartiens. Eux, ils t'ont mis au monde, tu les aimes parce qu'ils ont crié de faim autour de la table, attendu le lait et le pain, parce que vous avez dormi dans les mêmes poux, vous êtes unis comme les damnés au fond de l'enfer. Tandis que moi, moi je t'ai fait.

Et il est vrai que Bernard ne pouvait aimer que ceux qu'il avait «faits» comme il le disait, faire c'était posséder, envahir, garder pour soi, et moi qui avais refusé d'être la créature d'un seul autre, j'avais détruit en lui un espoir, espoir ambigu, dominateur, peut-être, dont il guérirait autrement, en descendant un peu plus bas vers ces fils pervers et las dont le monde était plein et qui ne demandaient qu'à être sa nourriture, ceux qu'il avait approchés avec moi, dans une piscine ou ailleurs, ceux qu'il avait baisés sur les lèvres, enlacés, et à sa façon, protégés, bénis, dans sa scandaleuse paternité. Mais pour moi, le père, le fils, l'amant, l'ami, toutes ces vocations qu'Éric avait excitées en moi, il les avait aussi, en même temps, proscrites, entravées. Comment Éric eût-il apprécié l'effort que je faisais pour vivre chaque jour à ses côtés, neutralisant jusqu'à l'insignifiance mes rapports avec Gilles afin de ne pas provoquer sa jalousie, quand la seule chose qui le gouvernait maintenant dans la vie, ce n'était plus sa musique ou ses élèves, mais cette passion pour Gilles, passion qui avait pris de jour en jour, dans l'échauffement de la vie à trois

(et même indépendamment de nous tous, suivant la
croissance de sa brutale nature) l'aspect d'une maladie terminale? Nous étions désormais suspendus au
mal et aux obsessions d'Éric, vivant à l'intérieur de
sa passion comme sous le poids d'une nappe de
brouillard, nous nous écartions de plus en plus de ce
rêve que j'avais fait, rêve bien naïf, d'une vie ouverte,
sans frontières, où Gilles, plus expérimenté que moi,
m'aiderait à mieux comprendre Éric (car j'avais senti, dès le début de notre liaison, qu'Éric appelait quelqu'un d'autre que moi à son secours, peut-être même
plusieurs personnes?) nous nous retrouvions, au
contraire, non pas unis en aimant Éric mais chacun
seul, désunis par l'être même que nous aimions
ensemble. Que pensait Gilles de tout cela pendant
qu'il lisait, assis avec rigidité, aux côtés d'Éric, Éric
qui était partout près de lui, ombre grande et forte,
ombre si pesante déjà, Gilles sentait-il que sous
l'apparence de cet adulte épanoui, celui qui avait l'air
de bien dominer sa vie quand on le voyait de l'extérieur, exerçant son autorité auprès de ses élèves, son
cynisme auprès de ses amis, se cachait un adolescent
aussi fou que Bernard, aussi véhément et dangereux?
Savait-il qu'il n'était pas seulement l'objet d'une passion totalitaire, presque morbide, mais qu'Éric avait
aussi placé en lui l'espoir salvateur de toute une vie,
lui avait en quelque sorte confié son destin? Il y avait
dans cet acte de totale reddition quelque chose qui
me faisait trembler moi aussi, pour Éric, car il s'était
mis lui-même dans une position vulnérable devant
Gilles; ne pouvant qu'être déçu dans ses exigences,

Gilles, comme Lucien, n'aimait pas le caractère presque inhumain de ces passions sauvages qui revendiquent tout, déconcertent l'objet de leur désir par un excès de zèle et de feu, la pensée de toute possession le glaçait: et qui sait ce que représentait cette possession pour Éric, quel besoin d'être engendré, mis au monde sous toutes sortes de formes d'affection et de patience? J'espérais, en vivant près de lui, pénétrer davantage le sens de cette supplication, car ce n'est plus seulement l'amour qui me guidait vers Éric, on eût dit qu'Éric lui-même, dans sa violence et comme pour m'imposer une épreuve, cherchait à faire de ce lien actif un arbre stérilisé par la tourmente; ce qui me guidait aussi, c'est tout ce que j'avais ressenti à cause d'Éric pendant un an, c'était une douleur entêtée, celle que j'avais reçue de lui et qui me servait maintenant à l'affronter, à voir en face un peu de sa nudité et de ses secrets. Éric appelait cela mon «orgueil», ma «révolte», ce qui n'était pas tout à fait faux non plus, mais cette souffrance avait pris la forme d'un dévouement sans réparation, sans fruits, car Éric n'avait eu besoin de moi, me disais-je, que pour renaître vers Gilles, avec lui: il m'avait brisé, corps et esprit, comme un enfant s'arrache des entrailles de sa mère. Cela, oui, qui sait, je l'avais peut-être fait pour lui, mais je ne l'avais pas vêtu, je ne l'avais pas consolé. Je gagnais trop difficilement ma vie pour vêtir un autre être, pour ne parler que de ce plan matériel, la carrière d'un concertiste étant si incertaine, et Éric attendait surtout d'un aîné, de Gilles, ce rôle de la prodigalité, de l'argent dispensé comme une nourriture qui calme, du trésor physique et affectif, ce que même en devenant un jour plus riche je ne pourrais jamais lui apporter. «C'est en donnant que le mendiant se guérit de sa pauvreté,» m'avait dit Pierre, le jeune médecin courageux qui avait offensé Bernard en ne répondant pas à son geste obscène, dans un village perdu près de notre collège, «et donner n'est jamais facile à apprendre, ce qui est trop pauvre, trop démuni se donne avec maladresse et n'est pas toujours pris.» Cette expérience avec Éric, même si j'avais voulu tout donner et tout offrir, n'avait pas encore réussi à faire de moi un être moins mendiant, dans la mesure où j'avais le sentiment d'avoir si peu donné de moi-même, à part une intensité dans la souffrance, quand pendant les premiers jours de ma liaison avec Éric j'avais accueilli comme un lien de joie ce qui était surtout un lien de volupté, pour lui. Après plusieurs années de renoncement, une vie complètement absorbée par le travail, un être arrivait qui n'était pas un aîné («Nous sommes tous sensibles à la musique d'un âge, pour les uns, c'est l'âge d'un déclin encore frémissant; votre âge à vous, me disait Éric, lorsqu'il m'invita dans sa chambre pour la première fois, c'est un âge qui ne m'inspire pas mais après une longue solitude, un être, n'importe lequel, même lorsqu'il ne vous inspire pas, c'est vraiment un miracle, croyez-moi!»), un être et sa soif de pitié et de rayonnement, ce n'était que cela, moi ou un autre garçon de mon âge, mais cette fois Éric n'avait pas résisté. Peut-être y avait-il aussi un peu de bonheur, de reconnaissance à la vie dans le cœur de cet homme qui, lorsque je fus dans sa chambre, dans son lit longtemps délaissé, ne me permit plus de le quitter: «Ne pourrais-tu pas rester avec moi, une heure, une nuit, une journée de plus! Il y a longtemps que je n'ai pas connu cela, sois gentil, ne pars pas encore. Tu as longtemps été mon élève et je ne t'ai pas vu: je ne savais pas qu'il y avait en toi un tel besoin de donner à un homme comme moi. Tu me quitteras sans doute dans une semaine, quelques jours, c'est un moment de délire entre nous deux, je le vois ainsi, je sais bien que je retournerai à ma solitude, mais au moins tu auras dormi contre moi longtemps, longtemps, tu m'auras aimé sans calcul, comme peu d'hommes dans ma vie l'ont fait. Mais que fais-tu? Où vas-tu? Quelqu'un t'attend? Un homme plus âgé sans doute, parle-moi de lui. Je sentais que tu ne vivais pas seul, j'ai toujours craint un événement étranger à toi, quelqu'un qui vit près de toi. Ne pars pas encore, j'ai recommencé à vivre avec toi!»

J'avais cru en cette exaltation passagère comme à un accent de vérité, et peut-être n'avais-je pas eu tort: Éric ne mentait pas plus en m'étreignant avec vigueur que lorsqu'il m'écrivait des lettres au ton à la fois pur et effréné, dans lesquelles la tranquille sérénité de le mer, à la surface, se mariait à la couche bourbeuse tapie un peu en dessous de l'eau claire: je respirais en lui le doux et l'inquiétant, le généreux et le féroce, et la présence de symptômes aigres et anciens qui rôdaient déjà autour de nous: l'obsession du «couple» tel qu'il le rêvait, celui qu'il n'avait jamais été en toute liberté avec un autre plus fort que lui, Éric en était envieux, comme de toute alliance qui de près ou de loin dans sa vie lui paraissait indivisible, un homme vivant avec harmonie près de sa femme le lésait autant dans ses droits (droits qu'il n'était jamais sûr de posséder) que la rencontre dans un train d'un couple d'hommes manifestement ravis l'un de l'autre, et avant même de connaître le lien entre Gilles et moi, il était déjà près à le trancher au couteau comme une chose qui lui faisait mal. Ce mal, ce poison de la jalousie, c'est moi qui l'avais ranimé en bouleversant Éric dans la paix morte de son refuge, avec des mots qu'il n'avait plus l'habitude d'entendre, des gestes qu'il avait oubliés auprès d'un corps, je laissais tressaillir hors de leurs remous ces fantômes insatisfaits et mortifiés qui n'attendaient que leur revanche pour combler leurs soifs.

— Vous comprenez maintenant, me dirait Éric plus tard, après que cette jalousie m'eût révélé de lui les élans les plus insoupçonnés et les plus cruels, qu'en prenant un être, comme vous avez fait avec moi, on prend avec lui tout le bien et tout le mal qu'il porte. Avec vous, j'ai été un homme très sain pendant que votre sensualité et votre jeunesse me faisaient revivre, c'était un éblouissement dans la vie d'un homme comme moi; quand vous m'avez fait connaître Gilles, vous avez réveillé en moi toute la fange, au contact de la souffrance un être ne se dérobe plus, vous avez vu de quelle matière obscure j'étais fait. Mais vous aimez les âmes perdues, c'est bien

votre faute. J'étais sincère avec vous quand, sortant
d'une longue torpeur, je vous voyais venir vers moi
comme une lumière réchauffante, ce que vous étiez
au début, pour moi, jusqu'au moment où Gilles me
fit perdre la tête. Il y avait en vous une bête que j'aimais bien domestiquer: tout ce que vous aviez appris
et subi comme luxure avec votre ami Bernard, cette
brute qui vous frappait et vous violait dans les prés,
le pédagogue en moi s'en offensait, tout cela ne semblait pas très raffiné, je rêvais de vous éduquer, et il
y avait beaucoup à faire. Quant à votre Georges, cette
sensualité pleine de prudence et de regrets ne me plaisait pas non plus, vous me donniez le plaisir de
prendre un être encore à l'état naturel bien que ravagé
et de le polir à ma façon. J'aimais vous laver, vous
nettoyer, vous inculquer un peu de ce confort de vivre
que j'avais en abondance. S'occuper de quelqu'un,
c'est une ivresse. Mais ce n'est qu'une phase pour
aller ailleurs. Avoir chez moi un garçon dont je lavais
les cheveux, qui se laissait caresser dans une bai-
gnoire, dont je frictionnais les reins, tout cela n'était
qu'un jeu, un jeu bien rafraîchissant mais qui a une
fin. J'étais comme un arbre dont on extirpe soudain
les racines pourries, je jouais avec vous dans le soleil
tout en gardant pour vous des poisons, je vous reprochais déjà d'avoir vécu avec Gilles, de l'avoir connu
avant moi, la présence de Gilles dans votre vie
remuait en moi des pensées odieuses et de lointaines
rancunes. Était-ce croyable que j'avais été autrefois
celui qui avait contemplé avec gratuité, dans l'ombre
puritaine d'un collège, le garçon aux joues creuses

dont je vous ai parlé, embrassé par son maître? Cette belle image, avec le temps, c'était un poison parmi les autres, un don des autres que j'avais déformé. Voilà tout ce que cette passion pour Gilles ramenait peu à peu à la lumière, des pensées d'envie, une violence qui m'effrayait moi-même, laquelle finirait bien par vous atteindre! Et en vous imaginant près de Gilles, d'autres couples passaient dans ma mémoire dont le bonheur m'avait choqué, privé, moi qui les regardais vivre. Un jour j'ai connu un couple d'étudiants, ils étaient de mes amis et ils n'ont jamais su combien je leur souhaitais du mal tant leur entente parfaite me torturait: l'un avait vingt-cinq ans, l'autre vingt-trois, et ils disaient à tous qu'ils étaient mariés, non sans ironie d'ailleurs, ce qui pourrait ressembler à un aveu ridicule était ici un acte héroïque, car dans la petite ville scrupuleuse, étouffée de principes où ils vivaient, ils risquaient ainsi de perdre leur avenir, leur carrière: il était difficile de ne pas les admirer malgré mes sentiments hostiles à leur égard, mais cette admiration n'était pas sans amertume, je souffrais de ce combat qu'ils engageaient l'un pour l'autre dans un même accord silencieux mais passionné. Ils devaient beaucoup s'aimer, me disais-je, pour renoncer ainsi à l'approbation familiale et sociale, que de vitalité, de ténacité, j'aurais aimé déployer ainsi pour un autre! Ce qui m'étonnait, c'est que la loyauté sexuelle comptait à peine pour eux, ils étaient sans doute préoccupés par des questions beaucoup plus graves comme le logement, la subsistance, car l'un d'entre eux en arriva à ne pas pouvoir même exercer son métier d'avocat. Mais ils travaillaient à leur bonheur avec grâce, car ces deux êtres sans cesse accusés, condamnés de tous côtés pour leurs mœurs, n'accusaient jamais les autres, ne condamnaient personne. J'avais l'impression, dès ce jour-là, comme plus tard en pensant à Gilles et à vous comme un couple, qu'ils avaient réussi ensemble quelque chose que je payais de mes échecs. Peut-être voulaient-ils apaiser en moi ce rival inconscient car ils m'invitaient partout avec eux, et je les suivais, consumé par une dévorante curiosité sans tendresse. Je croyais aimer la montagne, le ski, mais ce n'était que pour être avec eux, pour mieux les épier et les craindre à la fois; à l'heure où le soleil se couche, je les vis qui luttaient ensemble, presque nus dans la neige, un soir: cette vision me pénétra car elle était celle d'un achèvement physique assez grand; je haïssais leur beauté jumelle, le son de leurs rires et cette agressivité dans leurs yeux qui se transformerait trop vite en langueurs et en gémissements, pourquoi étaient-ils ainsi réunis quand j'étais de plus en plus seul, banni du monde? Une voix s'éleva soudain dans la nuit et m'appela: «Mais viens donc près de nous, il ne faut pas rester seul dans la vie!» Je n'avais qu'à descendre la pente de neige pour me joindre à leur intimité et à leur chaleur mais je ne le fis pas. J'ai toujours été incapable de me joindre au bonheur de deux autres êtres. Et aujourd'hui, c'est encore la même chose: je pourrais élargir le cercle jusqu'à vous, vous laisser vivre de façon supportable entre Gilles et moi, mais je ne peux pas. Quelque chose de déraisonnable me pousse à m'enfermer avec un seul être, à l'écart de tous, et d'extraire de lui, goutte à goutte, tout ce qu'il ne peut pas me donner également!

Les explications d'Éric ne soulageaient pas mon angoisse: encore des paroles qui ne pourraient rien résoudre, me disais-je! Était-il possible que des liens d'abord institués, par Gilles comme par moi-même, pour l'affranchissement et l'expansion de chacun, car lui aussi aimait les êtres et il avait aimé Éric dans cet esprit-là, avec une confiance qui lui paraissait peut-être dérisoire, maintenant, subissent soudain un tel arrêt dans leur croissance, parce que le passé d'un homme, tel un monstre à la fois exténué et dévorateur (ce symptôme que j'avais approché pendant mes premières nuits avec Éric quand il ne voulait plus me laisser partir, moins par sensualité que parce qu'il était jaloux de moi qu'un autre attendait, et puis dans ses lettres où j'avais côtoyé le pire et le meilleur, ses injures injustifiées comme son besoin d'une perpétuelle absolution), sortait de ses sourdes profondeurs pour tout prendre, tout posséder, et peut-être même tout détruire, si on ne l'eût pas confronté. On ne savait pour quelle faute, quelle faiblesse inavouable un être attendait d'un autre toute sa rémission morale, car c'est un peu ce qu'Éric attendait de Gilles et qui lui pesait de plus en plus comme un fardeau, je les avais introduits l'un à l'autre pour un but quelconque mais il était difficile de préciser lequel car cette aventure semblait de plus en plus insulaire et terrible. Gilles ne paraissait pas trop en souffrir encore, comme s'il eût jugé cette crise avec détachement, attendant Éric sur une autre rive plus souriante et plus habitée, se disant qu'Éric finirait bien par guérir de cette adoration exclusive qui nous avait tous bien assez séparés les uns des autres. Mais pour moi qui voyais la situation d'un autre aspect, du côté où l'on est victime de la rivalité plus que de l'amour, Éric, à mes yeux, ne se libérait pas encore, même si tel était l'espoir muet entre Gilles et moi, il s'enfonçait dans un marasme, une stagnation que l'on aurait pu qualifier de «volontaires» tant il montrait peu de résistance contre la marée qui l'envahissait. «Que voulez-vous, je suis ainsi, je ne peux pas partager, c'est ma nature!» semblait-il me dire, et cette soumission à ce qu'il y avait en lui de plus étroit, de plus prisonnier, était très menaçante pour chacun d'entre nous, mais ses paroles me dictaient désormais de le combattre dans ce sommeil agité derrière lequel il s'abritait, niant peu à peu son travail, ses élèves, ses amis, pour tout ce qui n'était pas sa recherche, la réalité concrète, comestible de Gilles, quand tout le reste du monde disparaissait loin de lui, et à sa grande détresse, dans une fumée indécise qu'il ne rattrapait plus: c'était ce rêve, ce sommeil perturbateur qui avait dépouillé Éric de toutes ses défenses, non seulement devant les quelques êtres dont il avait l'habitude et qui lui étaient devenus familiers, mais devant Gilles qui lui était plus étranger qu'un autre, dans la mesure où il aimait Gilles et où Gilles n'aimait pas, lui, ce sentiment complexe mais indiscret qu'il transportait partout à ses côtés, cette mendicité qui venait de très loin, avec sa fièvre pour la réclusion, son odeur de renfermé et d'humus, comme si aider Éric dans son épanouissement eût signifié en même temps laisser Éric se repaître de votre chair, de votre sang, ce que Gilles n'accepterait jamais; mais Éric exprimait peut-être bien grossièrement ce qu'il éprouvait avec délicatesse et subtilité, dans son âme, et ce qu'il montrait en lui de bas, de servile, de repoussant, lorsqu'il était jaloux ou colérique, n'était peut-être qu'une manifestation de sa passion pour Gilles, car la passion peut faire de nous tous des êtres écorchés vifs, des monstres ou des saints.

Je me répétais que l'écart, l'incompréhension qui me séparait d'Éric, de ce visage de lui que j'avais aimé autrefois (l'homme généreux qu'il avait été, qu'il pouvait être, se dépouillant de ses économies pour me vêtir, ou pour m'apprendre à mieux le faire, celui qui me permit plus tard le même rôle auprès de lui, sachant bien que ces consolations en apparence grossières n'adoucissent pas chez l'autre ses inquiétudes profondes, qu'elles n'ont de valeur que comme symboles d'accueil et de protection d'un plus dénudé que soi, tout ce qui en lui avait été attentif aux autres et désormais ne l'était plus, je ne dis pas, parce qu'il m'avait connu, ce n'était pas cela, mais au temps où ma présence dans sa vie, plutôt que de lui être néfaste, le réconciliait à cette tendre robustesse en lui-même qui était sa forme de charité), cette distance, entre nous, je l'attribuais davantage à un malentendu, à quelque ennemi qu'Éric portait dans son imagination, parmi les ombres du passé, et qui troublait

autour de lui la quiétude, la paix quotidienne, cet
ennemi aussi fort qu'un instinct de malveillance,
comment le vaincre quand il en était lui-même la
proie, n'était-ce pas lui qui transformait Éric en un
homme étranger, ne devais-je pas attribuer à cet
intrus, plus qu'à Éric, tout le malheur, tout l'échec
que j'avais déjà ressentis dans cette aventure? Si je
souffrais d'avoir perdu contact avec cette vérité première et toute simple, en lui, celle de l'homme que
j'avais aimé d'abord, Éric souffrait sans doute plus
gravement de cette rupture avec lui-même qui l'avait
jeté aux portes du monde, loin de l'univers des autres
qu'il n'atteignait plus qu'à travers le mirage lancinant
de son attachement pour Gilles, univers qu'il avait
aimé, à sa façon égoïste, et qui se résorbait de plus
en plus comme le visage d'un défunt regretté et pleuré mais qui, peu à peu, finit par se dissoudre dans le
chagrin et la fatigue trop longtemps éprouvés. En
stimulant en lui ce printemps tardif, inespéré, c'est
l'abandon de toute une vie que j'avais défié (et il est
rare que l'abandon d'un autre soit une chose aimable, digne d'attirer sur soi-même la sympathie), un
sentiment d'abandon et de misère presque viscérale,
accompagnée de toutes sortes de peurs stériles et de
doutes, c'est cela que j'avais appelé vers moi du fond
de sa nuit de sécheresse et de feu, avec cette soif
d'apaiser et de guérir qui était peut-être aussi déraisonnable et maladive que le besoin de vouloir être
guéri et apaisé. Parfois, j'entendais à nouveau le cri
de cet abandon, cet abandon plus agressif que doux,
l'enfantin, le tyrannique Éric m'étouffait alors sous

les élans de sa gratitude, débordant et tumultueux dans son affection comme il l'était dans sa colère, en venant prendre en moi sa nourriture et tout ce qui lui était nécessaire (pour aller ensuite vers Gilles avec plus de fermeté, peut-être), il me suppliait de le réchauffer quand il avait froid, de le rafraîchir quand il avait chaud, et il bouleversait mon corps comme il bouleversait mon lit, interrompant la solitude, la chasteté que j'avais établies. Il remuait tout en moi un peu comme lorsque, plongeant dans l'eau calme d'une piscine, il agitait à lui seul plus de bras, plus de mains, que tous les baigneurs qui l'entouraient, absorbant toute la réalité d'un lieu dans le tourment de son sillon pendant que les autres, plus lents, plus dociles, ne faisaient, à ses yeux, que peupler son songe intérieur; ainsi, cet Éric nocturne qui s'attachait à moi apparaissait dans mon sommeil à l'improviste, lourd dans ses appétits et délicat dans ses confidences, prenait plus de place en moi-même que le poids de ma propre vie, lui seul existait, affamé, gémissant, coupable, parlant à mon corps comme à un mur de confession et d'expiation, et c'est ce cri, né de ses lèvres liées aux miennes, de son bras autour de mon cou comme celui d'un enfant qui se noie, c'est cela seulement que même avec des caresses je ne pouvais pas pénétrer, cette méconnaissance que j'avais d'un autre, il était un être, une entité bonne et mauvaise, et je n'entendais de lui que la rumeur que l'on entend peut-être, égaré au fond d'une caverne.

Pendant ces instants, tant de douleur tenait là, au creux d'une épaule, dans l'étreinte que je formais avec un homme plus âgé que moi, non seulement séparé de moi par une étendue d'actes et de temps que je ne pouvais pas surmonter ni élucider, mais par une indigence morale dont je ne connaissais que vaguement la cause même si j'étais lié à lui par des liens d'une pitié charnelle, percevant parfois, sous le masque aigu que revêt la jouissance comme la douleur, une réalité de lui, inscrite dans sa chair, donc plus saisissable, mais cela était d'une brève durée, à peine avait-il quitté la chaleur de mon corps que toute cette intimité s'éloignait de moi, avec lui. Gilles, indépendamment de sa volonté, avait agité dans le cœur d'Éric, avec un amour qu'il avait presque le devoir de combattre tout en l'accueillant, une série de craintes qui s'installaient de plus en plus entre Éric et moi pour détruire en nous la pureté de l'échange. Cette méfiance était désormais entre Éric et moi, comme autrefois la mort entre Georges et moi. «Vous avez eu tort de venir dans ma vie, me répétait Éric (moi qu'il avait appelé autrefois «le miracle d'une fin de vie»), je suis surtout malheureux à cause de vous, et vous qui étiez fait pour la gentillesse et la douceur, vous me regardez parfois avec une dureté qui me bouleverse, cette dureté vous abîme, je vous assure!» (Étrange, me disais-je en l'écoutant, que la main qui abîme, l'être qui vous provoque, celui qui vous a poussé à prendre les armes contre lui, soit dans ce combat le plus vulnérable, le plus attaqué et celui qui juge sévèrement la créature née de lui, dans son acte de violence!) Je me retrouvais, soudain, un peu comme autrefois, sous la poigne de Georges me chassant de son lit après une nuit voluptueuse et me disant: «Celui qui a violé l'autre, cette nuit, c'est toi, tu entends? Sors de ma chambre, maintenant. Je respire à peine... Tu finiras par me prendre tout le vie!»

Et peut-être croyait-il sincèrement (et peut-être avait-il raison de le croire, tout semble me prouver maintenant, par l'imperfection de mon entreprise, que je n'ai pas vécu un seul moment de rachat auprès des hommes que j'avais aimés dans ce but) que ce n'est pas l'amour qui travaillait ainsi, en lui, mais un assassin, un enfant insidieux opérant en lui le vice, la terreur. J'avais connu, moi aussi, à cause d'un autre, comme Éric avec moi, des jalousies indignes de l'amour dont je rêvais, et là où Éric croyait être le seul à manquer de noblesse, il ne l'était pas: je me souvenais d'avoir détesté, non sans une certaine vilenie, parce que j'avais souvent envié son sort, Jean, le fils de Georges, cette autre face de moi-même que Georges préférait à moi-même, au point de ne pas craindre de m'humilier devant lui. Je me souvenais d'une aube, en automne, où marchant entre le fils et le père et les accompagnant à la chasse (je revois Jean foulant l'herbe de ses hautes bottes et cet air seigneurial qu'il avait, avec moi, affirmant dans toute son attitude, pour son père comme pour moi-même, cette pensée qu'il portait au-dehors: «Regardez, je suis viril, moi, je ne vous ressemble pas, je suis d'une race supérieure!»), j'avais vu Georges se pencher vers son fils et discrètement lui toucher l'épaule, c'était un geste pudique et déchiré dans lequel il avait mis toute sa tendresse, cette même tendresse dont il était si avare avec moi, craignant de trahir sa nature aux yeux des autres; de le voir dispenser ainsi à un autre dans sa totalité un sentiment qu'il ne m'avait toujours accordé qu'avec parcimonie et en tremblant de peur m'avait inspiré véritablement de la haine pour ce fils, ce fils, me disais-je avec révolte, qui n'était aimé que parce qu'il était le fils légitime, le fils dont on approuve l'existence, mais lui, Jean, dans sa morose indifférence n'avait pas même saisi quel moment de grâce venait jusqu'à lui, il aimait être aimé, surtout parce que l'amour reçu et non partagé représente un avantage auprès des autres, mais on eût dit qu'il avait jugé son père de façon inexorable, et cela depuis longtemps peut-être, et que tout ce qui émanait de lui ne pouvait être pris que comme une faveur dénaturée, vicieuse. Georges connaissait des sentiers exquis dans cette campagne (dont les bois étaient roux et brumeux à cette heure qui précède le matin et la nuit) et parlant toujours à son fils, il lui avait montré, humblement retranchée dans ses buissons d'épines, sur une colline d'herbes sèches, la figure en bois d'une crucifixion qu'il admirait, osant même venir la prier peut-être; cela, il ne le disait pas, mais je le devinais, car lui si peu sensible aux œuvres d'art, parlait de cette modeste sculpture paysanne comme il eût parlé à l'âme de son fils, à son fils lui-même (cette œuvre en laquelle il avait mis tant de naïveté, de culte, de vénération, et qui se retournait parfois contre lui avec le visage de sa propre conscience), lui avouant, dans un mélange d'extase et de tendresse effarouchée, tout ce qui se cachait pour lui sous la matière abrupte de l'être qui l'avait ému, cloué sur une croix: «Tu vois, disait-il (son regard se posant avec malaise sur les lèvres, les dents, le sourire de ce fils qu'il ne parvenait pas à définir, car rien ne lui semblait plus inquiétant que ce sourire fait de moquerie et d'attention circonspecte), n'est-ce pas une main très simple, une main d'ouvrier qui a tracé le dessin de ce Christ si jeune, si limpide, perdu ici dans les broussailles, as-tu observé la minceur du visage, l'étroitesse des hanches, ne crois-tu pas que l'artisan songeait à son fils alors très jeune en sculptant ce Christ? On sent bien que c'est le corps d'un garçon de douze, de treize ans, pas davantage, que c'est là un enfant qui dénonce la bêtise de ses aînés, avec une franchise presque maladroite, c'est cela que j'aime surtout dans ce petit visage transpercé de douleur, c'est le scandale, l'offense qui passent sur lui et qui ne le touchent pas, il souffre, il est offensé, mais on sent qu'il ne demande qu'à se pencher vers vous dans un moment de disponibilité surprenante, ce n'est pas encore l'adulte rédempteur qui lit la souillure au fond des cœurs, c'est autre chose de presque gai.»

Jean répondit à l'impétuosité de son père par un haussement d'épaules. Ces propos l'ennuyaient comme la vulgarité de certains aveux, comme le regard des hommes, dans la rue, dont il méprisait le désir. Que je n'aimais pas chez lui cette volonté de dénoncer l'autre, de l'accabler de sa condamnation perpétuelle! En condamnant son père, il me disait: «C'est toi que je hais, c'est toi qui as fait de lui ce qu'il est aujourd'hui!» Et lui, qui était-il donc pour avoir un tel pouvoir? Un enfant rassasié qui avait tiré à soi tout ce qui avait pu lui servir d'aliment, et c'est cette satiété engendrée par le confort, la richesse, c'est cela que Georges aimait avec une si déférente loyauté! C'est ce fils du bien et de l'apparence qui m'avait pris, lui qui ne la méritait pas, l'affection passionnée de Georges et c'est à cause de lui, peut-être, que je recevais la part souillée, le secret, la honte, la clandestinité d'un amour que je jugeais aussi digne de s'épanouir qu'un autre. Plusieurs fois, pendant les nuits que je passais près de Georges, immobile contre son dos, effleurant parfois de ma main sa nuque en sueurs, quand il lui arrivait de souffrir beaucoup, je faisais un rêve, souvent le même: j'amenais Georges chez mes parents, à la maison, et réunissant mes frères et sœurs autour de la table, je leur disais, sans aucune contrainte, que Georges était leur ami, comme il était le mien. Cette vérité, ils la comprenaient sans effort, la signification sexuelle cachée, ils ne la pénétraient peut-être pas, mais ils manifestaient, pour Georges comme pour moi-même, le même respect, la même douceur perspicace. Nous dînions en silence: l'un de mes plus jeunes frères se blottissait contre les genoux de Georges et le regardait parfois d'un œil sombre et voluptueux, il lui apportait des choses à manger, prenait de lui un soin bienfaisant et cette entente me réjouissait profondément. Je sortais de ce rêve pour retrouver un Georges aigri qui me disait sèchement: «Vous m'épuisez, vous ne vous rendez pas compte, mais avec vous, je ne dors plus, je ne vis plus, vous me faites beaucoup de mal! Mon Dieu, quel malheur de vous avoir connu!»

Et ces paroles, c'est de la bouche d'Éric que je les entends à nouveau aujourd'hui. Le mal fait, le mal subi, est-ce donc tout ce que nous nous apportons les uns aux autres en aimant? Peut-être le bilan de ma vie n'est-il que cela, une approche de plusieurs âmes qui n'étaient que blessées et que je laisse mourantes, même si je ne cesse d'en ressentir le poids. Je me dis parfois qu'il y a peut-être dans le monde des êtres nés pour la réussite, la conquête, et d'autres, comme moi, qui ne servent qu'à éveiller des appétits tourmentés qu'ils n'ont pas toujours la mission de satisfaire (car ceux qui pourront les satisfaire ne semblent pas appartenir au monde humain) et qui sont ensuite punis pour avoir eu l'audace de ce rôle. «Votre compassion maladroite, me dit souvent Éric, n'est qu'une goutte de sang qui se perd dans l'océan.» Peut-être est-ce la vérité, mais il est possible aussi qu'un amour donné sans mesure, même très mal donné, ne soit pas complètement perdu; si cette goutte de sang avait un jour le pouvoir d'abreuver celui qui m'a lié à lui par sa soif et par sa souffrance, alors, oui, j'aimerais y destiner encore ma vie.